Petra Fietzek

Schneewittchens Wut

Band 30117

cbt – C. Bertelsmann Taschenbuch
Der Taschenbuchverlag für Jugendliche
Verlagsgruppe Random House
München Berlin Frankfurt Wien Zürich

www.bertelsmann-jugendbuch.de

1. Auflage
Originalausgabe Februar 2004
Gesetzt nach den Regeln der Rechtschreibreform
© 2004 cbt / C. Bertelsmann Jugendbuch Verlag,
München
in der Verlagsgruppe Random House GmbH
Lektorat: Monika Hofko (Scripta Literatur-Studio,
München)
Umschlagbild: ZEFA, Düsseldorf
Umschlagkonzeption: init.büro für gestaltung,
Bielefeld
go • Herstellung: IH
Druck: Clausen & Bosse, Leck
ISBN 3-570-**30117**-6
Printed in Germany

Petra Fietzek • Schneewittchens Wut

cbt

Foto: © privat

DIE AUTORIN

Petra Fietzek, geboren 1955, wuchs in Frankfurt, Berlin und Aachen auf. Sie studierte Germanistik, Kunstwissenschaft und Philosophie an der Universität zu Köln, arbeitete einige Jahre als Lehrerin an Gymnasien und ist seit 1985 als freie Schriftstellerin tätig. Die Autorin veröffentlichte in verschiedenen Verlagen an die 40 Bücher für Kinder, Jugendliche und Erwachsene, die in zahlreiche Sprachen übersetzt wurden.

Petra Fietzek ist verheiratet, hat zwei Töchter und lebt mit ihrer Familie in Coesfeld (Münsterland).

Ein tiefer Stich in die helle Wolke am rechten oberen Rand.

Nora zieht die Spitze des Küchenmessers langsam über die dunkelblaue Hügelkette durch die blaugrünen Tannen mitten in den türkisfarbenen See. Die Augen halb geschlossen, setzt sie das Messer im Vogelzug links oben an, ritzt durch die Wolken, durch das hellblaue Haus bis zum Bootssteg.

Dort stoppt ihre Hand, zögert.

Ihr Unterkiefer schiebt sich vor.

Nora holt Luft.

Ein breiter Schnitt durch die Menschengruppe im Vordergrund.

Hin und her und hin und her.

Die Frau, die einem kleinen Mädchen vor sich die Hände auf die Schultern gelegt hat, klappt mit dem Kind nach vorn.

Beide Jungen verlieren den Steg unter den Füßen.

Immer rascher ritzt Nora, immer wilder, immer entschlossener.

Sie keucht und wirft ihre schwarzen Haare über die Schultern.

Das Messer trifft in den Mann neben den beiden Jungen, zerfährt seine Brille, sein Lachen.

Raschelnd löst sich die Leinwand vom Holzgrund und hängt in blauen Fetzen aus dem Rahmen.

Nora lässt das Messer sinken, reibt sich mit dem Handrücken über ihr nasses Gesicht.

Dann wirft sie das Messer auf den Teppich und hetzt zur Tür.

1

Hanno lehnt sein Fahrrad an die Hauswand.

Prüfend betrachtet er sich im Schaufenster, streicht sich mit beiden Händen durch die Haare und öffnet die Tür zum Frisörladen.

Gleich beim Eintreten sieht er Noras Gesicht in einem ovalen Spiegel.

Eine Frisöse mit Igelborsten kämmt Noras lange Haare, die breit über einen himmelblauen Umhang fallen.

»Du kannst noch einen Moment auf einem Stuhl Platz nehmen«, sagt jemand zu Hanno. Er schlüpft aus seiner Jacke, hängt sie an einen Haken in der Garderobe und lässt sich auf einem der Plastikstühle nieder.

Wahllos greift er nach einer Illustrierten. Dabei beobachtet er Nora aus den Augenwinkeln.

Nora aus seiner Klasse.

Das Schneewittchen mit den schwarzen Haaren und den blauen Augen.

Der Liebling aller Schüler, aller Lehrer.

Immer gut drauf und witzig. Total witzig.

Hanno hebt die Illustrierte bis zu seiner Nasenspitze.

Der Igelkopf hält einen Handspiegel hinter Nora hoch.

Nora dreht ihren Kopf hin und her, sodass die langen Haare fliegen.

In dem Moment entdecken ihre Augen Hanno.

Erst schaut Nora verwundert, dann grinst sie Hanno im Spiegel zu.

Hanno grinst zurück und lässt die Illustrierte auf seinen Schoß sinken.

Schneewittchen mit den schwarzen Haaren und der schmalen Superfigur. Schneewittchen mit der Leichtigkeit. Mit der samtweichen Stimme.

Ganz ruhig, Hanno. Schneewittchen macht sich nichts aus dir. Die hat ganz andere Fans. Schummi und viele andere in der Klasse.

Der Igelkopf nimmt Nora den Umhang ab. Nora steht auf und schüttelt die abgeschnittenen Haarspitzen von ihrer Hose. Sie angelt ihren Rucksack vom Boden, geht zur Garderobe und zieht ihren schwarzen Mantel an. An der Kasse sucht Nora in ihrem Rucksack nach dem Portmonnee und reicht dem Igelkopf das Geld.

Dann kommt sie zu Hanno.

»Na, musst du auch mal wieder unter den Rasen-mäher?«

»'n bisschen.'

Nora wirft ihre Haare über die Schultern.

»Viel Spaß«, sagt sie, öffnet die Tür und geht hinaus.

Hanno blättert in der Illustrierten.

'n bisschen. Eine blödere Antwort konnte ihm wohl nicht einfallen.

Aber was hätte er sonst sagen sollen? *Mama wollte das so?*

Der Igelkopf winkt zu Hanno herüber. »Du kannst dich da auf den Drehstuhl setzen.« Hanno legt die Illustrierte zur Seite und steht auf. Er setzt sich in Noras Stuhl und wird ebenfalls in einen himmelblauen Umhang gehüllt. Prinz Karneval.

Mit dem Fuß fährt der Igelkopf den Stuhl tiefer. »Nachschneiden?«

Hanno nickt.

Kamm und Schere bearbeiten energisch seine hell-braunen Haare.

Erst beobachtet Hanno sein Spiegelbild, dann schließt er die Augen.

Nora wäre bestimmt eine sanfte Frisöse. Eine mit weichen Händen und viel Gefühl. Hanno stellt sich vor, dass sie hinter ihm steht und mit ihren Händen durch sein Haar streicht. Von Nora würde Hanno sich sogar eine Glatze schneiden lassen, nur damit es möglichst lange dauert. Und dabei würde er Nora in ein Gespräch über Volleyball verwickeln. Er würde ihr von den letzten Mannschaftsspielen erzählen und angeben wie ein Weltmeister, bis Nora schließlich bitten, nein, flehen würde, dass sie beim nächsten Spiel zuschauen darf. Und Hanno würde gnädig *von mir aus* sagen, und dann würde er spielen wie Ulrich Thomak, der absolute Profi, und Nora würde völlig begeistert sein.

Hanno setzt sich kerzengerade, öffnet die Augen und blickt in den Spiegel.

Er lächelt versonnen.

»Eingeschlafen?«, fragt der Igelkopf.

»Nö«, sagt Hanno.

Sein Lächeln schmilzt.

Was sollen diese Fantastereien um Nora? Diese Hirngespinste?

Hanno zieht die Stirn kraus.

In seiner Klasse gibt es mindestens zehn nette Mädchen, in die er sich locker verlieben könnte, wenn er wollte. Aber er will nicht. Wozu auch?

Den Stress will er sich nicht antun. Ewig Rücksicht nehmen und dann die Eifersüchteleien, wenn er mal mit einer anderen reden würde. Nein, danke. Da bleibt Hanno lieber solo.

Und Nora?

»Das wär's.«

Schwungvoll zieht der Igelkopf den himmelblauen Umhang zur Seite.

Und Nora?

Hanno steht auf.

Mit Nora wäre das etwas anderes.

* * *

Mitten im Wald setzt Nieselregen ein.

»Auch das noch«, schimpft Schummi, zieht die Wetterjacke über den Kopf und trabt leichtfüßig an den anderen vorbei zu Klassenlehrer Lohmann.

»Wie weit ist es noch bis Höfen?«

Lohmann, ausgestattet mit Regencape und Schnürschuhen, fasst die Riemen seines Rucksacks fester. »Etwa eine halbe Stunde.«

»Was?«, ruft Nora. »Das können Sie uns nicht antun! Erst dieser bescheuerte Gewaltmarsch und jetzt noch der Pissregen.«

»Für den Regen kann ich nichts«, lacht Lohmann.

Hanno kickt Steinchen vor sich her.

»So ein dusseliger Wandertag«, mault Bertram neben ihm, »andere Klassen fahren nach Köln in irgendwelche CD-Läden oder wer weiß wohin und wir müssen durch die Eifel latschen.«

Hanno nickt. Bertram hat Recht, wie meistens. Bertram ist Hannos Freund. Er spricht oft aus, was Hanno sich auch schon gedacht hat. Aber Bertram ist direkter, mutiger. Bertram ist wie ein Megafon für Hannos Gedanken. Bertram, groß und schwer, der Bär.

Der Nieselregen schwillt in wenigen Minuten zu Sturzbächen, die voller Wucht vom Himmel strömen, und in die Klasse 9 b kommt Bewegung.

Alle rennen umher und schreien.

Lohmann hastet zum Unterholz und rudert mit den Armen.

»Hier entlang!«, brüllt er mit rotem Gesicht.

Stachlige Äste kratzen an den Gesichtern, an den Jacken.

Der Waldboden federt unter den Schritten.

Tief im Unterholz hält Lohmann an.

»Ist das unser neuer Picknickplatz?«, ruft Bertram ihm zu.

»Ja klar«, ruft Lohmann zurück, »macht es euch bequem!«

Eng ist es im Unterholz, dunkel und feucht zwischen den harzigen Stämmen. Klamme Kälte kriecht durch die Kleidung auf die Haut. »Bestimmt krieg ich eine Lungenentzündung«, bibbert Nora.

Maren legt den Arm um sie.

»Lass mich Nora wärmen«, meint Schummi, »ich bin eine prima Wärmflasche.«

»Flasche stimmt«, sagt Bertram.

12

Hanno schlägt den Kragen seiner Windjacke hoch. Er legt den Kopf in den Nacken und schaut durch die braunen Stacheläste zum Himmel. Hoch oben rauscht der Regen eintönig auf die blaugrünen Fächer der Tannen.

Nora steht neben Hanno.

Sie steht so dicht, dass ihr Jackenarm seinen Jackenarm berührt und ihr Lachen direkt in sein Ohr sprudelt.

»Seid mal still. Vielleicht kommt ein Reh.« Maren legt den Finger auf den Mund.

»Oder ein Wildschwein«, meint Schummi.

»Dann sitzt du aber als Erster auf einer Tanne«, sagt Lohmann.

Nach einer Weile wird das Rauschen leiser, wandelt sich in ein Tropfen, ein Tröpfeln. Die Wolkendecke reißt auf und im Unterholz wird es heller.

»Weiter geht's!« Mit einer Handbewegung fordert Lohmann seine Schüler auf, den Heimweg fortzusetzen. Raus auf die matschigen Wege.

»So ein Tag, so wunderschön wie heute«, singt Schummi und läuft wie ein Flugzeug mit ausgebreiteten Armen um die Pfützen.

An der Haltestelle in Höfen steht ein Linienbus, in den sich die durchweichte Mannschaft hineinzwängt.

»Wisst ihr schon das Neuste?«, ruft Schummi, als

der Bus die kurvenreiche Landstraße entlangschaukelt. »Ich gehe seit heute mit Maren. Die schenkt mir Gummibärchen.«

»Ja klar«, ruft Maren, »und Schummi schenkt mir Colalutscher.«

»Und wisst ihr schon das Allerneuste?«, erklingt Noras Stimme. »Ich gehe seit heute mit Hanno. Der hat immer so leckere Butterbrote.«

Alle lachen. Hanno hat eine rote Butterbrotdose, in die seine Mutter jeden Morgen ein Graubrot mit Käse und Apfelstücke legt. Das ist allgemein bekannt.

»Na klar«, sagt Hanno und lächelt verlegen.

Da fühlt er, wie sein Kopf von der Seite gepackt wird und sich für einen winzigen Moment etwas Feuchtes auf seine heiße Wange drückt.

Noras Lippen.

Hanno kriecht tief in seine nasse Jacke.

»So ein Tag, so wunderschön wie heute!«, singt Schummi wieder.

Sein Singsang läuft durch den Bus, zwischen den Fahrgästen hindurch und an den beschlagenen Fensterscheiben entlang.

Am nächsten Morgen gleicht der Klassenraum der 9 b einem Lazarett. Papiertaschentücher fliegen hin und her, Hustenbonbons machen die Runde. Es wird geniest, geschnieft, geröchelt, einige haben einen Schal um den Hals gewickelt. Diese verheerende Erkältungswelle soll Lohmann eine Lehre sein. Der nächste Wandertag geht nach Köln zum Rundfunk oder so. Das stellen Schummi, Bertram, Nora und ein paar andere gleich zu Beginn des Unterrichts klar.

Lohmann lächelt nur und kramt in seiner speckigen Aktentasche.

Hanno kritzelt gedrehte Kreuze in sein Deutschheft.

Kreuze wie Stacheldrahtknoten.

Dabei wandern seine Gedanken in die Eifel zurück. Gestern hatte er dort mit Bertram verfilzte Schafwolle gesehen, die sich in Drahtzäunen verfangen hatte und im Herbstwind zappelte.

»Stell dir vor, jemand reißt dir dermaßen an den Haaren, dass sie irgendwo hängen bleiben«, hatte Bertram gesagt, und Hanno nickte und fasste sich unwillkürlich an den Kopf.

Dann sah er Nora.

Nora rannte mit Maren quer über eine Weide. Ihre langen Haare flatterten hinter ihr her wie ein dunkles Tuch. Nora lachte und ihr Lachen tanzte über die Weide, tanzte um die pickenden Nebelkrähen herum bis zu Hanno und kitzelte ihn.

Dieses Gefühl kennt Hanno seit dem letzten Frisörbesuch, dieses Gekitzeltwerden am ganzen Körper, immer wenn er an Nora denkt.

Und Hanno denkt oft an Nora.

Und gestern im Bus hat sie ihn geküsst.

Na gut, nicht so richtig, aber immerhin hat er ihre Lippen gespürt.

Und Nora hat gesagt, dass sie mit Hanno gehen will. Da hat er sich doch nicht verhört? Nein, im vollen Bus vor allen anderen hat Nora das gesagt. Und Hanno hat *na klar* geantwortet. Also: einverstanden. Das war wie ein Bündnis, eine Abmachung vor Zeugen.

Lohmann steht vorne im Klassenraum und schreibt mit quietschender Kreide *Berufung oder Job?* an die Tafel.

Hanno späht zu Nora hinüber.

Nora lacht, beugt sich zu Maren und flüstert ihr etwas ins Ohr.

»Ihr habt bis morgen Zeit, euch für euer Referat einen Beruf zu überlegen, den ihr vorstellen wollt«, sagt Lohmann, ordnet seine Bücher am Lehrerpult und packt sie in seine Aktentasche. »Die Referate werden in drei Wochen gehalten und anschließend bei mir abgegeben. Ihr habt ungefähr zehn Minuten Redezeit vor der Klasse.«

»Muss das sein?«, mault Schummi.

»Das muss sein«, sagt Lohmann bestimmt.

Hanno kritzelt schwarze Hüte auf die Stacheldrahtknoten.

Einen Beruf überlegen? Irgendeinen Mann, eine Frau vorstellen? Irgendjemanden aus dem Bekanntenkreis? Stinklangweilig.

Sein Vater leitet eine Fensterfabrik, seine Mutter arbeitet als Lehrerin an einer Grundschule. Absolut öde, die beiden zu interviewen.

Moment mal!

Hanno richtet sich auf.

Er hat eine Idee, eine Wahnsinnsidee. Er wird einen Restaurator vorstellen. Na klar, einen Restaurator, aber nicht einen x-beliebigen, sondern Melcher, Noras Vater. Den kennt Hanno von früher, als Hanno und Nora zusammen in der Grundschule waren.

Hanno tupft über jedes schwarze Hütchen einen Punkt.

Klar, er wird in seinem Referat über Melchers Beruf schreiben.

Dann wird Hanno Melcher zu Hause besuchen und sich mit ihm im Museum treffen müssen.

Und wer wird den Kontakt zu Melcher herstellen? Nora.

Und wer wird zu Hanno sagen: *Ey cool, dass du dich für Kunst interessierst*? Nora.

Und wer wird sich am Telefon melden, wenn Hanno bei Melcher anruft? Nora.

Und wer wird Hanno die Haustür öffnen und sagen: *Hey, schön, dass du kommst! Mein Vater erwartet dich schon*? Nora.

Und wer wird – und bei diesem Gedanken stockt Hanno fast der Atem – bestimmt ebenfalls den Beruf des Restaurators vorstellen? Nora.

Zufrieden lehnt sich Hanno auf seinem Stuhl zurück.

Nora hängt quer über ihren Büchern und Heften.

Sie lässt Schummi am Einzelplatz vor ihr von ihrem Pausenbrot abbeißen, doch davon merkt Lohmann nichts. Der bekommt seine Aktentasche nicht zu.

Gleichförmig scheppernd ertönt der Pausengong und verwandelt die neunte Klasse in ein summendes Wespennest.

Wieder späht Hanno zu Nora hinüber.

Sie thront im Schneidersitz auf ihrem Tisch, isst einen Apfel und redet und redet. Schummi und Maren hören ihr zu. Nora prustet vor Lachen und versprüht dabei kleine Apfelstücke. Gleich springt Schummi auf, wischt über sein beflecktes Hemd und geht auf Nora los. Er greift in ihre schwarzen Haare und zieht ihren Kopf zur Seite. Nora rutscht vom Tisch.

Hanno verzieht sich auf den Schulhof, doch nach der letzten Stunde schlendert er zu Noras Platz.

»In meinem Referat für Deutsch will ich über einen Restaurator schreiben«, sagt er lässig.

Nora angelt nach einem Radiergummi unter ihrem Stuhl. »Was willst du machen?«, ruft sie außer Atem.

»Ich will in Deutsch was über einen Restaurator schreiben«, wiederholt Hanno.

Nora taucht auf und stopft ihre weiße Bluse in ihre Jeans.

»Na und«, sagt sie und zieht den Reißverschluss ihres Federmäppchens zu. Hanno nimmt einen neuen Anlauf.

»Vielleicht kann dein Vater mir da helfen.«

»Mein Vater?« Noras helles Lachen sprudelt los. »Der sagt dir nix.«

»Aber der ist doch Restaurator im Museum.«

»Na und.« Nora zuckt mit den Schultern.

Hanno rührt sich nicht von der Stelle.

»Soll ich ihn mal anrufen?«

»Wenn du unbedingt willst. Rück mal ein Stück! Du stehst auf meinem Rucksack.«

Nora schiebt Hanno zur Seite.

* * *

Wenn Max mit seinem Polizeiauto verschwinden würde, könnte Hanno ja telefonieren, aber Max rutscht auf den Knien ständig um Hanno herum und lässt sein Auto heulen wie bei einem Großeinsatz. Hanno läuft mit dem Telefon in sein Zimmer und Max kriecht hinterher.

»Raus mit dir.« Hanno klemmt sich seinen kleinen Bruder unter den Arm und schleppt ihn in den Flur.

Dann geht er zurück und wählt Melchers Telefonnummer.

»Thomas Melcher«, meldet sich eine jungenhafte Stimme.

»Ja, hier Hanno Schulz aus Noras Klasse.«

»Willst du Nora sprechen?«

»Nein, ja, nein, ich will Herrn Melcher sprechen.«

»Ach so. Momentchen!«

Dann ist Herr Melcher am Telefon, hört Hanno zu und schlägt ihm vor, morgen Nachmittag zu ihm in seine Werkstatt ins Museum zu kommen.

»Möchtest du noch mit Nora reden?«

Hanno stutzt. »Nein ... ja ...«

»Ich schau mal, wo sie steckt.«

Es dauert eine Weile, bis Noras Stimme im Apparat ertönt.

»Hanno? Was gibt's?«

Hanno holt Luft. Die ist irgendwo zwischen seinen Rippen eingeklemmt. »Eigentlich nichts. Ich habe mit deinem Vater ...«

In dem Moment heult Max' Polizeiauto direkt neben dem Telefonapparat los. Hanno fährt zusammen. Hart packt er Max am Arm.

»Was ist denn bei euch für 'n Krach?«, hört er Nora fragen.

Hanno beginnt zu schwitzen. »Das ist nur mein kleiner Max ... Quatsch ... mein kleiner Bruder.«

»Dann tschau«, sagt Nora und legt den Hörer auf.

Hanno hält Max noch immer fest.

»Warum bist du wieder reingekommen?«, zischt er.

»Du tust mir weh«, wimmert Max.

Hannos Hand verkrampft sich.

Am liebsten würde er seinen Bruder hoch oben auf den Schrank setzen, bis er schimmelig wird, der Giftzwerg.

Hanno lässt Max los.

Er tritt zur Seite, wundert sich über seine Wut, seine neue, mächtige Wut.

2

Das Museum ist ein modernes Gebäude mit hell-grauen Steinplatten, in das eine Glastür führt. Hanno betritt die Vorhalle mit den hohen, großblätt-rigen Palmen und einem Informationsstand.

»Kann ich etwas für dich tun?«, fragt eine Frau.

»Ich bin mit Herrn Melcher verabredet.«

Die Frau weist auf einen schmalen Gang.

»Herr Melcher ist in der Werkstatt. Da hinter dem Vorhang ist die Tür.«

Als Hanno die Tür zur Werkstatt öffnet, schlägt ihm beißender Geruch entgegen.

»Momentchen!«, ruft ein Mann im blauen Kittel und stemmt die metallenen Griffe eines Kippfensters in die Höhe. Langsam bewegt sich eine hohe Milch-glasscheibe nach vorne.

Der Mann kommt auf Hanno zu, wobei er die Hände an seinem Kittel abwischt. »Hanno?«

Hanno nickt.

Dieser Mann ist Ludwig Melcher. Hanno erinnert sich noch gut an seine untersetzte, schrankförmige

Gestalt und das runde Gesicht mit den Falten neben den Mundwinkeln.

Melcher setzt sich auf einen Drehschemel vor einem der Tische und streicht mit einem Tuch über einen vergoldeten Rahmen.

Nach einer Weile dreht er sich um, nimmt die Brille ab und reibt seine Augen unter den schwarzen Augenbrauen.

»Schau dich um«, sagt er zu Hanno, als sei ihm dessen Gegenwart gerade wieder eingefallen.

Hannos Blick läuft über breite Tische, Werkzeuge, Farbtöpfe und Pinsel.

In der Raummitte steht eine gebogene Lampe, daneben ein hoher Ständer mit Papierrollen. An den Wänden lehnen Leitern, von denen eine bis zur weißen Stuckdecke reicht.

Mein Vater, der sagt dir nix.

Melcher poliert die Ecken des geschwungenen Rahmens.

Seine Zungenspitze befeuchtet die Mundwinkel unter seinem dunklen Oberlippenbart.

Der sagt dir nix. Na toll.

»Warum willst du über einen Restaurator schreiben?«

Hanno schluckt. »Weil ... ja ... äh, alte Möbel sind so interessant.«

Blöde Antwort. Wo ist ein Mauseloch? Eine Tarnkappe?

Melcher sieht hoch, runzelt die Augenbrauen.

»Auch Gemälde oder Skuplturen?«

»Ja klar«, sagt Hanno rasch.

Melchers kurz angebundene Art irritiert Hanno. Er spürt, dass er selbst die Initiative ergreifen muss.

»Können Sie mir hier was zeigen?«, fragt Hanno und zieht Notizheft und Stift aus seiner Jackentasche.

Melcher brummt vor sich hin und poliert ungerührt die verzierten Ecken des Rahmens. Plötzlich steht er auf, legt das Tuch auf den Tisch und geht mit gebeugtem Rücken durch den Raum.

Bei einer kleinen Figurengruppe auf einem fahrbaren Tisch hält Melcher an.

»Geduld, Antonius«, flüstert er einem holzgeschnitzten Mann im Mönchsgewand zu, der, umringt von wilden Tiergestalten, auf einem Felsen vor einer Kapelle hockt, »bald bist du wieder fit.«

Melcher geht um den Tisch herum. Dabei spricht er bedächtig vor sich hin: »Relief mit der ›Versuchung des heiligen Antonius‹, Eichenholz, etwa 1500. In das Gewand des Antonius treibe ich am Holzfuß des Felsens mit einem Nagelsenkstift einen Nagel ein, bis der Nagelkopf unter der Holzoberflä-

24

che liegt. Den verbleibenden Hohlraum fülle ich mit gefärbtem Bienenwachs und befestige so die sitzende Gestalt.«

Leiser und leiser wird Melchers Stimme, als spräche er nur noch zu sich selbst.

Hanno betrachtet das in die Hände gestützte Gesicht des Heiligen und die fratzenhaft verzerrten Gesichter der Tiergestalten, ihre klauenhaften Füße, ihre geschuppten, behaarten Leiber.

Melcher ist weitergegangen.

»Der Einsiedler hatte es nicht leicht«, sagt er, »so viel Bedrohliches war in ihm verborgen, das der Schnitzer in all den grässlichen Gestalten zeigt, verstehst du?« Hanno schreibt.

Melcher bleibt vor einer Staffelei stehen, auf der sich ein mittelgroßes Gemälde befindet. Er setzt seine Brille ab und studiert mit vorgeneigtem Kopf die Oberfläche des Bildes.

»Öl auf Leinwand, Niederlande, um 1670. Ein Junge bläst einem anderen ein paar Seifenblasen zu, und der andere versucht, sie mit seinem Hut aufzufangen.«

Melcher winkt Hanno zu sich.

»Genauso können wir im Leben nichts festhalten, verstehst du. Alles vergeht …« Melcher bricht ab, »nur etwas bleibt und das ist …«

Er reibt seine Nase und murmelt vor sich hin.

»Hier unten haben sich Malschichten gelöst. Siehst du die Flocken?« Melcher weist auf winzige Blasen am linken unteren Bildrand.

»Mit gewärmtem Werkzeug werde ich die Schichten mit Gelatine, Bienenwachs und Harzklebstoff wieder befestigen.«

Hanno schreibt und malt Fragezeichen. Immer wieder Fragezeichen wie schwankende Schiffe zwischen den Buchstaben.

Melcher geht zurück zu seinem Arbeitstisch.

Und jetzt?

Hanno sieht sich um.

Sein Blick fällt auf eine hohe, schlanke Holzfigur und gleitet von den nackten Füßen des Mannes über sein in weiten Falten fallendes Gewand bis zu den gelockten Haaren hinauf. In der Linken hält der Mann eine ebenfalls holzgeschnitzte Tasche, von der sich ein geschnitzter Buchrücken abhebt. Der rechte Arm ist angewinkelt und die Finger der rechten Hand sind nach oben geöffnet. Der Mann legt den Kopf schräg und schaut in die Höhe. Zugleich scheint er vor etwas zurückzuschrecken, denn er biegt seinen Oberkörper nach hinten.

Wer ist dieser Mann?

Was sieht er?

Was hört er?

Hanno dreht sein Heft in den Händen.

Immer wieder mustert er das Gesicht des Mannes mit den angespannten Muskeln unter den Wangenknochen.

Melcher tritt neben Hanno.

»Das ist der Johannes aus einer Kreuzigungsgruppe. Maria und Christus am Kreuz gehörten auch dazu. Sie sind verloren gegangen. Die Figur ist um 1500 entstanden, aus Eichenholz geschnitzt und etwa einen Meter vierzig hoch. Sie soll gereinigt und auf Beschädigungen untersucht werden.«

Melcher geht zum Kippfenster und schließt es mit lautem Knall.

Aus einem Stück Eiche geschnitzt?

Hanno berührt das vorgestellte linke Holzbein und das runde Knie des Johannes, streicht über das weiche dunkle Holz.

»Johannes der Evangelist, nicht Johannes der Täufer!«, ruft Melcher zu ihm herüber.

Rasch zieht Hanno seine Hand zurück, schreibt und malt Fragezeichen dahinter.

»Schau dir die Rückseite an!«

Hanno geht um die Figur herum und späht in einen hohlen Baumstamm. Wieder steht Melcher neben ihm.

»Viele Holzfiguren sind hohl. Dann kann der Holzkern nicht weiterarbeiten und Spannung erzeugen, durch die das Holz reißen kann.« Er deutet auf winzige Löcher im Holz. »Da waren Holzwürmer oder andere Anobien am Werk.«

Melcher schlurft zu seinem Arbeitsplatz zurück.

Hanno hätte lieber, dass er neben ihm stehen bliebe und alles Mögliche erklärte, ja am besten wäre es, wenn Melcher Hanno das Referat gleich in sein Heft diktierte. Aber so ein Typ ist Melcher wohl nicht.

Hanno verzieht den Mund.

Aus den paar Informationen kann er doch kein Referat schreiben.

Mein Vater? Der sagt dir nix.

Blöde Idee, über Melchers Beruf zu schreiben.

Blöde Idee, sich auf solches Fremdland vorzuwagen.

»Zu Hause habe ich ein paar Bücher für dein Referat«, sagt Melcher, »hol sie dir ab. Morgen um halb drei.«

Nichts Verbindliches, nichts Freundliches schwingt aus Melchers Worten zu Hanno herüber. Es kommt Hanno so vor, als ob Melcher nur zu den Kunstwerken liebevoll spräche, liebevoll wie zu kranken Freunden.

Hanno nickt und stopft Heft und Stift in seine Tasche.

28

In der Werkstatt schweben fremde Fragen, fremde Antworten, fremde Gerüche, fremde Zeiten.

»Bis morgen ... und danke«, sagt Hanno an der Tür.

Melcher lässt vorsichtig ein schweres Ölbild in den vergoldeten Rahmen gleiten. Er sieht nicht mehr hoch.

Als Hanno am nächsten Morgen das Klassenzimmer betritt, sucht sein Blick gleich nach Nora.

Na, wie war's im Museum?, wird sie ihn neugierig fragen.

Geht so, wird er sagen.

Und hat mein Vater dir bei deinem Referat geholfen?, wird sie forschen.

'n bisschen, wird er sagen und sich auf seinem Platz niederlassen.

Nora steht hinter Schummi, der auf einem Stuhl sitzt.

Sie flicht kleine Zöpfe in Schummis blonde Haare, singt vor sich hin und legt ihr Kinn auf Schummis Kopf.

Hanno geht dicht an Schummi und Nora vorbei.

»Moin, Hanno«, sagt Schummi.

»Moin, Moin«, äfft Nora Schummis Stimme nach.

Mehr sagt sie nicht und der Unterricht beginnt.

Aber um halb drei wird Hanno zu Melchers nach Hause kommen.

Dann wird er Noras Brüder kennen lernen und Nora wird mit ihm reden.

Vielleicht sogar in ihrem Zimmer.

Kurz nach zwei schwingt sich Hanno auf sein Fahrrad und radelt durch die Stadt.

Warum sind Sie Restaurator geworden und wie war der Ausbildungsweg?

Was ist ein Nagelsenkstift?

Was sind Malschichten oder Anobien?

Wer war Johannes?

Was hörte er?

Was sah er?

Nasses Herbstlaub glitscht unter Hannos Reifen. Jetzt bloß nicht hinknallen!

In der Weberstraße stellt Hanno sein Fahrrad neben die Steintreppe, die zu Melchers Haus hinaufführt, und klingelt an der Tür.

Er späht zu der Fensterreihe im ersten Stock. Vielleicht entdeckt er Noras Gesicht?

Hundegebell ertönt. Mist!

Hanno macht einen weiten Bogen um jeden Hund, seit er als Kleinkind von einem Kläffer um den Spielplatz gehetzt worden war.

Die Haustür öffnet sich und ein dunkelbrauner Dackel springt jaulend an Hanno hoch.

»Hey!« Über dem Dackel streckt sich Hanno eine Hand entgegen. »Du willst sicher zu Herrn Melcher.«

Hanno versucht, den Hund zu übersehen, und folgt mit steifen Beinen einer jungen Frau in knallengen Jeans und mit blondem Pferdeschwanz ins Haus. »Herr Melcher ist in seinem Zimmer«, sagt die Frau, drückt den Hund energisch mit dem Fuß zur Seite und klopft an eine Tür.

»Besuch für dich, Ludwig!«, ruft sie und öffnet die Tür.

Melcher sitzt an einem Schreibtisch.

»Du bist es«, sagt er, »komm rein! Die Bücher liegen da.«

Er deutet mit der Brille auf einen Stapel Bücher am Rand der Tischplatte. Hinter Hanno wird die Tür geschlossen.

Melchers Arbeitszimmer ist groß und hell. Lange Regale ziehen sich an den Wänden entlang, überquellend von Büchern und Zeitschriften. Es riecht nach Tabak und Leder. Auf den Fensterbänken stehen Blumen.

Hanno will gerade zum Schreibtisch gehen, als er etwas Blaues an der rechten Zimmerwand wahrnimmt.

Es ist ein Gemälde aus blauen Farbtönen in einem weißen Rahmen.

Hanno geht näher, geht mit vorgestrecktem Kopf wie ein gespannter Gepard.

Noch nie hat er so viele verschiedene Blautöne auf einem Bild gesehen. Himmelblau, Porzellanblau, Meerblau, Eisblau, und in all den Blautönen erscheinen Wolken, Bäume, ein Haus und ein paar Menschen, die auf einem Steg an einem türkisblauen See stehen.

Hanno tritt näher.

Er erkennt Melcher, eine dunkelhaarige Frau, ein kleines Mädchen mit schwarzen Zöpfen und zwei größere Jungen. Die Frau hat ihre Hände auf die Schultern des Mädchens gelegt. Das Kind lehnt sich nach hinten gegen ihren Körper. Fünf Menschen wie unter einer Glocke, einer schützenden blauen Glasglocke.

»Das Bild hat meine Frau gemalt, damals, als sie noch lebte. Sie hat viel gemalt und dies war ihr Lieblingsbild«, sagt Melcher.

Stimmt, Noras Mutter ist tot. Das hat Nora in der Grundschule erzählt, als die Kinder in der dritten Klasse von ihren Ferienerlebnissen berichten sollten. Nora stand mit ihren schwarzen Zöpfen in einem gelben Kleid vorne neben der Tafel, lachte kurz und sagte: »Wir sind eine Woche mit meinem Vater in Rüsselsheim gewesen, aber ohne Mama. Die ist nämlich tot.« Die Kinder lachten auch, weil Rüsselsheim so ein komischer Name war. Aber in Noras Lachen schwang Traurigkeit und im Lachen der Kinder Mitleid. Darum klang all das Lachen verfilzt.

Seitdem hat Hanno nie mehr gehört, dass Nora von ihrer Mutter sprach.

»Hier!« Melcher reicht Hanno drei Bücher.

»Danke«, sagt Hanno, räuspert sich und kramt in seinem Gedächtnis nach seinen Fragen. Die waren ihm doch so klar gewesen gestern Abend und vorhin auf dem Rad.

Doch nun fällt ihm nichts mehr ein. Peinlich.

Melcher steht auf.

»Willst du noch zu Nora?«

»Ja.«

Melchers Stimme hallt durch den Flur: »Ist Nora da?«

Einer von Noras Brüdern springt die Treppe herunter.

»Die macht Karate oder ist beim Reiten oder bei sonst jemandem«, sagt er.

»Nora ist beim Reiten«, ertönt die Stimme der jungen Frau aus einem anderen Zimmer.

»Macht nichts«, sagt Hanno schnell.

Er hat plötzlich keine Lust mehr, länger in diesem Haus zu bleiben, in dem sich etwas Unheimliches breit gemacht hat und lauert. Er will nur noch nach draußen.

»Ich bin meist im Museum«, sagt Melcher, »außer Dienstagnachmittag.«

Soll das eine Aufforderung sein? Hanno reicht Melcher die Hand. Melcher ergreift Hannos Hand und schüttelt sie kurz.

»Wiedersehen«, sagt Hanno.

»Hm«, macht Melcher.

Der Dackel begleitet Hanno durch den Flur, stupst ihn hart mit der Schnauze an den Schuh. Auf den Steinstufen vor der Tür schiebt Hanno die Bücher unter seine Jacke und knöpft sie fest zu.

»Puh«, sagt er laut und noch mal: »Puh.«

Dann nimmt er sein Fahrrad.

Die weißen Vorhänge im ersten Stock hängen unbewegt.

Der spröde Herbstwind pfeift durch den Vorgarten und raschelt in den Büschen.

Hanno friert irgendwie von innen.

Hannos Mutter öffnet die Wohnungstür.

»Wie war's bei Melchers?«

»Geht so«, sagt Hanno und stolpert über Max,

der im Flur auf dem Teppich liegt und sich an Hannos Hose festklammert.

»Spielst du mit mir?«

»Willst du Kuchen haben?« Hannos Mutter geht in die Küche.

»Spielst du mit mir?« Max' klebrige Finger ziehen Hanno fast die Hose herunter.

»Kannst du mich vielleicht in Ruhe lassen?«, faucht Hanno Max an und schubst ihn zur Seite. Max heult los, nervtötend wie sein Polizeiauto.

»Ist was?« Hannos Mutter steckt den Kopf aus der Küche.

»Nichts«, sagt Hanno und geht in sein Zimmer.

Er zieht seine Jacke aus, legt die Bücher auf sein Bett, wirft sich in seinen Sessel und starrt auf den Vorhang neben dem Fenster. Gelbe, blaue, grüne Blätter und spitze Halme.

Mit der linken Hand drückt Hanno auf den Starter seines CD-Players.

Bässe füllen den Raum. Ruhiger Sound.

Hannos Herz klopft doppelt so schnell.

Nora ist unterwegs. Die macht was aus ihrem Leben. Die hockt nicht stundenlang mit einem Kleinkind und dessen Polizeiauto auf einem Autoteppich. Die ist aktiv. Die trifft sich mit anderen. Die genießt das Leben. Die reitet und geht tanzen. Die kann lachen. So hell und unbeschwert. Die kann singen mit ihrer Samtstimme. Mit ihrer irrsinnigen Samtstimme, bei der Ameisen über Hannos Körper huschen.

Die lässt sich nicht einengen von ihrem schrulligen Vater und der flotten Blondine. Die steht auf eigenen Füßen. Die tanzt durch ihr Leben. Leicht und locker.

Mit Schwung öffnet sich Hannos Zimmertür und etwas Hellbraunes fliegt gegen Hannos Bein. Auf dem Teppich liegt Max' Opabär in gelber Wollhose mit schlappem Bärenohr.

Hanno hebt Opabär auf und setzt ihn auf sein Knie.

Opabär starrt Hanno aus runden Glasaugen an und grinst mit gesticktem Maul.

»Ach, Opabär«, sagt Hanno.

Müde erhebt er sich aus seinem Sessel und schlurft zur Tür.

»Max!«, ruft Hanno den Gang hinunter. »Mahax! Komm, ich spiel mit dir!«

3

Morgen für Morgen steht Hanno am Eingang zum Schulhof.

Er kann es kaum erwarten, Nora auf dem Fahrrad zu entdecken, ihr zuzusehen, wie sie auf den Schulhof fährt und ihr Rad in den Fahrradständer schiebt. Dabei grüßt er Nora nicht und Nora grüßt ihn nicht. Aber Nora weiß, dass Hanno da steht und auf sie wartet, und das genügt ihm.

Anschließend geht er hinter Nora die Schultreppe hinauf. Nicht ganz dicht, aber auch nicht weit entfernt.

Tag für Tag beobachtet Hanno Nora im Unterricht, lauscht ihren Beiträgen in Deutsch, in Mathe, in Bio. Die sind ihm wichtiger als seine eigenen. Dabei schlägt sein Herz so hart. So hart und fordernd.

Und Hanno lacht mehr als früher. Eigentlich lacht er bei jeder Gelegenheit. Sein Lachen ist schrill und geiernd. Er lehnt sich dabei auf seinem Stuhl zurück und schüttelt seine Haare nach hinten, lässig und megastark.

Und manchmal sieht Nora Hanno an. Das spürt er genau. Ihre Augen sind groß und blau. Diese Augen mustern Hanno.

Und Nora sitzt auf Jans Schoß.

Und Nora sitzt auf Schummis Schoß.

Und Nora sitzt auf Antjes Schoß.

Als Hanno Nora auf seinen Schoß ziehen will, kneift Nora wie ein erschrockener Krebs in Hannos Oberarm. Die Stelle wird feuerheiß und brennt. Nora zuckt nur mit den Schultern.

»Was fasst du mich auch an«, sagt sie zu Hanno.

Doch in der nachfolgenden Französischstunde, als Hanno aufgerufen wird und ihm nicht einfällt, was »Geduld« heißt, da hört er Noras Stimme. Jedenfalls klingt die Stimme wie Noras Stimme.

»Patience«, flüstert diese Stimme.

»Passion«, wiederholt Hanno.

Frau Blabel schiebt sich die Hand hinters Ohr, als ob sie schwerhörig sei. »Passion? Falsch, Hanno. Patience muss es heißen. Patience! Passion heißt Leidenschaft. Die ist ja wohl was anderes als Geduld.«

Schummi dreht sich zu Maren und Nora um.

»War wohl nichts«, sagt er.

»Schau nach vorne«, zischt Nora.

Dieses Vorsagen und die Worte, mit denen Nora Schummi abkanzelt, sind für Hanno unendlich wichtig. Ja, das alles zählt für Hanno mehr als die Tatsache, dass Nora sich sonst nur mit den anderen aus der Klasse beschäftigt und sich mal mit dem, mal mit dem, aber nie mit Hanno verabredet. Dieser Vorfall ist für Hanno ein erneuter Beweis, dass er für Nora wichtig ist.

Nachmittage lang sitzt Hanno in seinem Zimmer, hört Musik und spricht in Gedanken mit Nora. Er redet mit ihr über all die Typen in der Klasse oder über die Lehrer. Er erzählt ihr vom Volleyball oder sieht mit ihr das blaue Bild ihrer Mutter an. Er steigt mit Nora in die Blautöne ein und läuft mit ihr den Holzsteg zum See entlang. Oder er geht in Gedanken zum Reitstall und trifft dort Nora. Sie galoppiert über eine Koppel. Unerschrocken und aufrecht. *Hey, Hanno!*, ruft sie, als sie ihn sieht, und winkt ihm zu. Oder Hanno schiebt Nora in sein Zimmer hinein. *Geh*, sagt er, *ich beiße nicht. – Wirklich nicht?*, fragt Nora lachend. *Wirklich nicht*, sagt Hanno.

In seinem Zimmer zeigt er Nora seine CDs, und wenn Max mit seinem albernen Opabär hereinkäme, würde er die beiden sofort wieder rausschmeißen. Nora würde sagen: *Wie süß! Ist das dein kleiner Bruder?* Aber Hanno würde unerbittlich bleiben. Tür zu und raus mit dem Kinderquatsch. Nora am Fenster.

Nora in seinem Sessel. Nora auf seinem Bett. Noras Lippen auf seiner Haut, ihre schwarzen Haare in seinem Gesicht. Ihre blauen Augen, die voller Lachen sind, voller Scheu, sehen ihn an. Von oben bis unten. Und Hanno riecht Noras frischen Duft. Er legt seinen Arm um sie. Ganz vorsichtig. Und Nora zuckt nicht mit den Schultern und kneift Hanno nicht, sondern lässt sich das alles gefallen.

Alles.

Hanno summt vor sich hin und schaut aus dem Fenster.

Die Abendsonne taucht die Dächer der Stadt in rötliches Licht.

Am Himmel glitzern Wolkenstreifen, berühren einander und stoßen sich ab.

Hanno greift zu seinem Kugelschreiber.

Liebe Nora, schreibt er auf ein Stück Papier, *ich muss oft an dich denken.* Kitsch. Hanno zerreißt den Zettel.

Liebe Nora, mein Herz rast, wenn ich an dich denke! Quatsch. Hanno zerreißt den Zettel.

Hey, Nora, mir geht's gut. Wie geht's dir? Banal. Hanno zerreißt den Zettel. Am Himmel schieben sich dunkle Wolken heran und vor dem Fenster klappert der Rollladenkasten im Wind.

Nora! Ich will dich sehen, mit dir reden, mit dir

zusammen sein! Ich mag dich so, Nora. Hanno zögert, zerreißt den Zettel.

Von seinem Hosenbein, vom Teppichboden, vom Schreibtisch sammelt er alle Papierfetzen zusammen und pfeffert sie in den Papierkorb.

Eng kommt ihm sein Zimmer vor, eng wie ein Käfig.

Hanno reißt das Fenster auf. Er braucht Luft, eine Menge Luft, um an all dem Ungesagten nicht zu ersticken.

Gewöhnlich geht seine Mutter mit, wenn Hanno neue Sachen zum Anziehen braucht, aber diesmal fragt er sie einfach nach Geld.

»Ich suche mir mit Bertram was aus. Der braucht auch neue Klamotten.« Hannos Mutter ist erstaunt, gibt Hanno aber Geld für eine Hose und ein Sweatshirt.

Bertram hat dann doch keine Lust und keine Zeit zum Einkaufen und so geht Hanno alleine.

In überfüllten Läden unter hämmernder Technomusik probiert er Hosen an, die er noch vor ein paar Wochen nicht in die Hand genommen hätte. Sie haben jede Menge Taschen, weite Hosenbeine und schlabbern um seine Kniekehlen. Olivgrün, beige, schwarz.

Hanno entscheidet sich für eine schwarze Hose und ein megaweites beigefarbenes Sweatshirt.

Aus dem Spiegel schaut ihn ein Hanno an, der ihm fremd ist.

Wer ist dieser Hanno in den weiten Markenklamotten mit dem schiefen Grinsen?

Hanno fährt sich mit der Linken durch seine Haare. Die müssen auch irgendwie anders werden. Ganz anders.

»Die Frisur, die du haben willst, gibt es nicht«, sagt der Igelkopf wenig später im Frisörladen.

»Es gibt keine Frisur, die es nicht gibt«, schaltet sich die Chefin ein, »lass mich mal machen. Ich bin hier gleich fertig.«

Hanno dreht sich im himmelblauen Umhang auf dem Frisörstuhl hin und her. Schon kommt die Chefin mit Schere und Kamm.

Hannos Scheitel bleibt auf der linken Seite. Die langen Ponyhaare fallen in Stufen nach rechts bis zum Ohr. Die linke Haarseite wird kurz geschnitten, fast abrasiert. Hinten reichen Hannos Haare bis zum Nacken.

»So?« Die Chefin lässt die Schere sinken. »Bist du so zufrieden?«

Hanno schaut Hanno im Spiegel an.

Beide Hannos nicken, dass ihnen die Ponyhaare in die Augen fliegen.

»Auch färben?«, fragt die Chefin.

»Nö«, sagen die Hannos.

Hanno steht früher als sonst auf dem Schulhof. Er hat die Hände tief in die Taschen seiner neuen Hose geschoben.

Endlich kommt Nora angeradelt.

Kurz vor der Einfahrt auf den Schulhof holt Schummi sie ein, klingelt wild und fährt ihr fast in die Seite.

Noras rechtes Pedal schrappt an der Bordsteinkante entlang.

»Hast du 'ne Schraube locker?«, schreit Nora hinter Schummi her.

Der schiebt sein Fahrrad bereits in einen der Eisenständer.

»Hanno ist mein Zeuge«, ruft er, »ich habe dich nicht berührt.«

Hanno steht steif in seiner neuen Kleidung mit seiner neuen Frisur neben dem Schultor.

Schummi starrt ihn an.

»Irgendwie siehst du anders aus«, sagt er und geht um Hanno herum. »Machst du Reklame für 'ne Modezeitschrift?«

Nora schließt ihr Fahrrad ab und kommt hinzu.

»Und wenn es so wäre«, ruft sie außer Atem und

noch immer wütend, »dann geht dich das 'nen feuchten Dreck an.«

Hanno hätte zwar lieber gehabt, dass Nora irgendetwas Positives zu seinen Haaren, zu seiner Hose sagt, aber er ist auch so zufrieden. So hat Nora wenigstens Schummi fertig gemacht.

Im Klassenraum häufen sich die Kommentare zu Hannos Veränderung.

Bertram zieht an Hannos breitem Sweatshirt. »Da pass ich ja noch mit rein«, meint er.

»Steig doch ein«, sagt Hanno betont lustig und weitet den Halsausschnitt.

»Hast du denn überhaupt eine Mitfahrkarte?«, ruft Maren zu Bertram herüber.

»Vielleicht nimmt Hanno Nora mit. Die darf bestimmt umsonst einsteigen«, meint Schummi.

Hanno lacht geiernd los. Schummi hat wohl endlich begriffen, zu wem Nora hält. Der hat wohl endlich kapiert, dass Nora an Hanno interessiert ist. Und nur an Hanno. Aber das lässt sie sich nicht anmerken. Nicht so offensichtlich.

Da hört Hanno Noras Stimme.

»Auf blöde Angeberklamotten fahre ich nicht ab«, sagt sie und packt ihre Schultasche aus.

Hanno zuckt zusammen. Sein Lachen klemmt in seiner Kehle.

Was hat Nora gesagt? Angeberklamotten?

Auf einmal schwitzt Hanno in seiner weiten Hose und dem weiten Sweatshirt. Er schwitzt wie nach einem Marathonlauf.

Seine Linke streicht über seine knisternd kurzen Haare.

»Hauptsache, dir gefällt's«, hatte sein Vater gestern Abend gesagt.

Aber gefällt denn Hanno Hanno?

Gefällt denn Hanno Hanno, wenn er Nora nicht gefällt?

Hanno packt seine Französischsachen aus und ist völlig erstaunt, als Lohmann hereinkommt. Welcher Tag ist heute? Welche Stunde?

4

Hanno hört Rapmusik, federt auf seinem Schreibtischstuhl auf und ab und blättert in Melchers Büchern. Er betrachtet Kunstwerke im Zustand vor und nach ihrer Restaurierung. Er liest die Inhaltsverzeichnisse, liest unter den Stichworten *Steinskulptur, Holzskulptur, Wandmalerei, Malerei, Leder, Möbel, Keramik und Glas* und gliedert sein Referat in drei Teile.

Zuerst will er den Ausbildungsweg zum Restaurator vorstellen, dann über unterschiedliche Arbeitsbereiche in diesem Beruf berichten und schließlich eine Restaurierung an einem Beispiel vorstellen.

Welches Werk soll er wählen? Den Antonius? Die Seifenbläser? Den Johannes? Hanno sieht die schmale, hohe Figur vor sich und nickt.

Klar, den Johannes. Über den müsste er aber noch mehr wissen. Den müsste er noch mal sehen. Hanno schaut auf die Uhr. Halb vier. Heute ist Mittwoch. Melcher ist in der Werkstatt.

Hanno schnappt seinen Rucksack, stopft Heft und Stift hinein und radelt zum Museum.

In der Eingangshalle bahnt er sich einen Weg durch eine lärmende Kindergruppe.

»Jetzt mal Ruhe!«, ruft eine Frau. »Eure Mäntel könnt ihr dahinten an die Garderobenhaken hängen und stellt euch dann zu zweit vor der Treppe auf.« Die Kinder stürmen los.

»Ich gehe zu Herrn Melcher«, sagt Hanno zu der Frau hinter dem Informationsstand.

Er schiebt den grauen Vorhang zur Seite und öffnet die Werkstatttür.

Melcher wäscht gerade seine Hände an einem Waschbecken.

Was ist, wenn er sich gleich wieder an irgendeine Arbeit setzt und Hanno einfach übersieht? Hanno fühlt sich beklommen.

Mein Vater, der sagt dir nix.

Hanno holt Luft und geht durch den Raum auf Melcher zu.

»Hallo«, sagt er, »haben Sie einen Moment Zeit? Ich ... ich habe noch ein paar Fragen zu meinem Referat.«

Melcher sieht nicht hoch.

Sorgfältig trocknet er mit einem alten Lappen das Waschbecken.

Hanno zieht Heft und Stift aus seinem Rucksack und lehnt sich gegen die Wand.

Das war zu erwarten.

Ist ja klar, dass Melcher sich Zeit lässt.

»Schieß los«, sagt Melcher plötzlich und richtet sich auf.

»Ich habe die Gliederung für mein Referat geschrieben«, beginnt Hanno.

Melcher setzt sich auf einen Drehstuhl. Wortlos zieht er einen zweiten Stuhl neben sich.

Hanno nimmt Platz und erklärt Melcher die Einteilung seines Referats.

Melcher unterbricht ihn. »Ich war zu meiner Ausbildung in Köln.«

Er verschränkt die Arme vor der Brust und legt den Kopf in den Nacken. »Meine Frau hat dort damals Malerei studiert.«

Melcher schnaubt durch die Nase. Sein Schnurrbart zittert leicht.

Melchers Frau? Die Malerin des blauen Bildes? Noras Mutter, an die sich die kleine Nora mit den schwarzen Zöpfen anlehnt?

Dunkle, kühle Schatten schieben sich in den Raum, gleiten über die Tische.

Rasch schlägt Hanno einen der bunten Bildbände auf.

»Ich will mich in meinem Referat auf wenige Bereiche beschränken, auf Holzarbeiten und Gemälde«, sagt er, bespricht mit Melcher einzelne Kunstwerke und steckt Zettel zwischen die Seiten.

»Zum Schluss will ich den Johannes vorstellen. Der soll doch gereinigt werden, oder?« Suchend blickt Hanno sich um.

»Über den Johannes willst du schreiben?« Melchers Stimme klingt auf einmal weich. »Komm mit.«

Die schmale Holzskulptur liegt auf einem mit grauen Decken bedeckten Tisch. Mit seinem Fuß drückt Melcher auf einen Hebel unter dem Tisch und fährt die Tischplatte ein Stück höher.

»Wir können alle Tische hier verstellen«, sagt er, »das sind Operationstische aus der Chirurgie.«

Hanno betrachtet den Johannes.

»Am Fuß fehlen drei Zehen.«

Melcher nickt.

»Setzen Sie neue Zehen an?«

»Nein, wir möchten möglichst die originale Figur erhalten. Schau dir die Hände des Johannes an.«

»Die haben Nahtstellen.«

»Ja, die Figur ist irgendwann stark beschädigt worden. Beide Hände und das Beutelbuch wurden um 1900 ergänzt.«

»Entfernen Sie die Hände wieder? Die sind doch auch nicht ursprünglich so gewesen.«

»Nein, wir lassen die Figur so, wie sie jetzt ist.

Auch die angesetzten Hände sind inzwischen historisch. Die Figur bekommt eine Grundreinigung von Staub und Schmutz. Außerdem festige ich das Holz und stopfe Risse und Fugen mit Polierwachs aus. In die breiteren Spalten setze ich Holzkeile, eingeleimt und beigeschnitzt.«

Melcher ist gesprächig und locker. Es ist, als ob seine Liebe zu diesem Kunstwerk unverhohlen aus ihm herausströme.

Mit einem weißen Tuch fährt er die Gewandfalten entlang, dreht dann den Johannes behutsam auf die rechte Seite.

»Das Verschlussbrett für die Rückseite ist verloren gegangen. Hier siehst du noch, wo es befestigt war.«

Melchers Finger tasten das Holz ab.

»Den Johannes hast du dir auch beim letzten Mal angesehen«, erinnert sich Melcher, »ja … in manche Werke kann man sich richtig verlieben.«

Hanno wundert sich selbst, wie genau er den Faltenwurf und das schmale Gesicht des Johannes im Gedächtnis behalten hat.

»Was sieht der Johannes? Was hört er?« Da sind seine Fragen wieder.

Klar und deutlich.

Melcher legt die Figur auf den Rücken.

»Du musst dir vorstellen, dass Johannes direkt

neben dem Kreuz stand, an das Jesus genagelt wurde. Auf der anderen Seite des Kreuzes befand sich Maria, die Mutter Jesu. Johannes erhält vom sterbenden Jesus eine wichtige Botschaft.«

»Die er gerade hört?«

»Ja, Johannes schaut zu Jesus hinauf und vernimmt dessen Worte. Jesus sagt ihm, dass sich Johannes nach seinem Tod um Maria kümmern soll, so wie Jesus zuvor Maria sagte, dass sie sich um Johannes kümmern soll.«

»Warum hebt Johannes die Hand und biegt sich zurück?«

»Vielleicht ist er erschrocken, dass Jesus vom Kreuz aus zu ihm spricht. Vielleicht will er genau mitbekommen, was Jesus sagt. Vielleicht denkt er: Ich? Warum bin ausgerechnet ich gemeint?«

Hanno betrachtet die hölzerne Stirn des Johannes, die von feinen Rissen und Falten durchlaufen ist. Er sieht die zusammengezogenen Augenbrauen, den fragenden Blick.

»Und das Buch, das Johannes in der Tasche trägt?«

»Mit dem Buch deutet der Schnitzer an, dass Johannes ein Evangelium geschrieben hat. Er ist einer der vier Evangelisten. Du findest diese Szene in der Bibel im Johannes-Evangelium, Kapitel 19.«

In der Schulbibel herumsuchen? Das dicke Ding mit nach Hause schleppen?

»Nimm meine Bücher wieder mit«, sagt Melcher, »du kannst sie mir bei Gelegenheit wiederbringen oder Nora in der Schule geben.«

Nora? Hanno stutzt.

Nora hatte er völlig vergessen. Er hatte die ganze Zeit neben ihrem Vater gesessen und Nora tatsächlich vergessen.

Aber nun kommen sie wieder angestürmt, die Ameisen. Sie rasen durch den Raum, klettern auf den Tisch und sausen an Hannos Körper hinauf und hinunter. Gnadenlos.

»Mal sehen«, sagt Hanno.

Melchers Haus fällt ihm ein. Melchers Arbeitszimmer, das blaue Bild, der kläffende Hund und die blonde Frau in ihren knallengen Jeans, die merkwürdige Stimmung im Flur, überall.

»Wer ist die blonde Frau, die mir die Tür aufgemacht hat?«, hört Hanno sich fragen, wundert sich über seine Direktheit. Schnell schlüpft er in seine Jacke und greift nach seinem Rucksack.

»Das ist Franziska Gehlen. Sie führt unseren Haushalt ... Meine Frau ist ja gestorben«, sagt Melcher, und seine Stimme klingt wieder langsam und schleppend.

Durch die ungeputzten Scheiben des Klassenraums fällt fahles Licht und wirft Rechtecke über den Linoleumboden, über die Stühle und Tische.

Lohmann kramt in seiner Aktentasche.

»Heute steht die neue Sitzordnung an. In den Laden muss Ruhe kommen. Ich hab da so einen Plan gemacht.«

»Pläne können Sie vergessen«, ruft Schummi, »das Leben hat seine eigenen Pläne.«

»Trotzdem könntest du dich planmäßiger auf deine Arbeiten vorbereiten.« Lohmann hat den neuen Sitzplan gefunden und stellt sich vor das Lehrerpult.

»Ich mache folgende Vorschläge ...«, beginnt er.

Stöhnen in der Klasse.

»Ich bleibe neben Nora sitzen«, ruft Maren.

»Mal langsam«, sagt Lohmann und dreht seinen Plan hin und her.

Schummi steht auf. »Das Theater wird ja wohl dauern. Da kann ich noch aufs Klo gehen«, sagt er und verlässt den Raum.

»So.« Lohmann blickt umher, als wolle er seine Schülerinnen und Schüler wie Schachfiguren auf einem Brett verteilen.

Da steht auch Hanno auf.

Wortlos ergreift er seine Tasche, seine Hefte und Stifte, geht zu Schummis Einzeltisch und legt alles auf die Tischplatte.

»Weggegangen, Platz vergangen«, sagt er.

Dann nimmt Hanno Schummis Arbeitssachen und legt sie auf seinen alten Platz neben Bertram.

Anschließend setzt er sich auf Schummis Stuhl.

»Was soll denn das?«, ruft Bertram zu Hanno herüber. »Willst du nicht mehr neben mir sitzen?«

Hanno antwortet nicht.

Lohmanns Plan ist durch Hannos eigenmächtigen Platzwechsel völlig durcheinander geraten. Heftige Diskussionen entstehen, deren Lautstärke sich noch steigert, als Schummi von der Toilette zurückkommt und Hanno auffordert, auf der Stelle seinen Platz zu verlassen. Aber Hanno sagt nichts, sondern sitzt stocksteif auf Schummis Stuhl.

Inzwischen tauschen auch andere die Plätze.

Lohmann donnert mit dem Klassenbuch auf das Lehrerpult.

»Ruhe!«, brüllt er.

Das wirkt. Alle lassen sich nieder und schauen sich um.

Wer sitzt nun wo?

Hanno lehnt sich auf Schummis Stuhl zurück und verschränkt die Arme vor der Brust.

»So ein Aufstand«, hört er direkt hinter sich Noras Samtstimme sagen.

»Und Anna sitzt jetzt neben Sven«, flüstert Maren.

»Klar«, antwortet Nora, »da wollte sie ja schon lange hin.« Beide kichern.

Hanno entspannt sich.

Auf dem Platz vor Noras Tisch sitzt er gut. Total gut.

»Das gibt Rache!«, ruft Schummi, doch Hanno dreht sich nicht zu ihm um. Soll er doch quatschen, der Oberangeber.

Nach der Stunde reden Schummi und Bertram auf Hanno ein.

Hanno sitzt auf Schummis Stuhl, als sei er dort festgeklebt.

»Euer Gelabere nervt«, meint Nora, »ist doch piepegal, wer wo sitzt.«

»Ich sehe das aber nicht ein«, braust Schummi auf. Er will Hanno von seinem Stuhl werfen, doch Hanno klammert sich mit beiden Händen an den Stuhlkanten fest.

»Lass ihn doch«, Bertram zieht Schummi am Ärmel zurück, »Hanno will eben vor Nora sitzen.«

Für einen Moment ist es still. Bertrams Worte springen zwischen den Tischen umher. Deutlich und herausfordernd.

»Dann tausche ich eben mit Maren den Platz«, sagt Nora.

»Dann ziehe ich meinen Tisch wieder vor dich«, sagt Hanno schnell.

Jetzt ist es sonnenklar: Hanno will vor Nora sitzen.

»Du machst dich echt lächerlich«, sagt Bertram zu Hanno. »Absolut lächerlich. Du machst dich zum Affen.«

Hanno holt seine Butterbrotdose aus der Schultasche und nimmt mit zitternden Fingern sein Graubrot heraus. Er beißt hinein, schmeckt die Butter und den Käse. Langsam zermahlen seine Zähne das Brot.

Na gut, dann wissen es eben alle: Er will vor Nora sitzen.

Das können auch alle wissen.

Das macht ihm doch nichts aus.

In den folgenden Tagen hängt Hanno meist schräg auf seinem neuen Platz. Er hält ein Ohr zu Nora nach hinten, das andere Ohr nach vorne.

Hanno weiß, ob Nora die Hausaufgaben vergessen hat, ob sie während des Unterrichts Zettel an Anna oder Tine schreibt oder ob sie sich bei Maren über ihre beiden großen Brüder beschwert. Hanno sitzt mit grinsendem Mund und vermeidet es, zu Schummi oder Bertram hinüberzusehen.

In den Pausen stellt er sich zu den Computerfreaks aus seiner Klasse, schleicht in der Pausenhalle zwischen grün schimmernden Aquarien herum oder beobachtet die Wüstenrennmäuse in den Glasvitrinen vor dem Biologieraum.

Manchmal stellt er sich auf dem Schulhof direkt neben Nora, Maren, Anna und Tine. Er stellt sich mit dem Rücken zu den Mädchen und kriegt jedes Wort mit. Jedes Flüstern, jedes Kichern. Und manchmal fällt in dem Getuschel sein Name. Anfangs findet er das unangenehm, doch dann gewöhnt er sich daran. Ja, er ist sogar stolz darauf.

Und manchmal versucht Hanno, mit Nora ins Gespräch zu kommen. »Mathe war sauschwer«, sagt er zu ihr, oder »Hast du Englisch kapiert?«

Nora tut so, als habe sie nichts gehört. Sie dreht sich sofort um und spricht mit jemand anderem. Aber das macht Hanno nichts aus. Nora ist eben nicht wie die anderen Mädchen. Sie lässt sich nicht anmerken, wenn sie jemanden mag. Sie ist eben zurückhaltend. Aber sie hat Hanno versteckte Beweise ihrer Zuneigung geliefert: Sie hat ihn im Bus geküsst, hat ihm im Unterricht vorgesagt und nicht darauf bestanden, dass Schummi auf dem Platz vor ihr sitzen bleibt.

Und manchmal sieht sie Hanno von hinten so

intensiv an, dass seine Haare bis in die Haarwurzeln elektrisiert werden. Das spürt er ganz genau.

Nach drei Nachmittagen, an denen Hanno fast ausschließlich an seinem Referat gearbeitet hat, tippt er abends die Endfassung in den Computer.

Als er sich den dritten Teil noch einmal durchliest, fällt ihm ein, dass Melcher von einer Textstelle in der Bibel gesprochen hatte.

»Haben wir eine Bibel hier?«, fragt er seinen Vater.

»Wozu brauchst du die denn?«

»Für ein Referat.«

»Von meiner Kommunion habe ich noch eine Bibel. Sie steht oben im Bücherregal, glaube ich.«

Hanno zieht das kleine schwarz gebundene Buch zwischen anderen Büchern heraus und nimmt es mit in sein Zimmer.

Es dauert eine Weile, bis er das Johannes-Evangelium gefunden hat.

Dort liest er von der Geißelung und Verspottung Jesu durch die römischen Kriegsknechte, von Jesu Verurteilung durch Pontius Pilatus und die Hohen Priester und von seiner Kreuzigung. Er sucht in seinem Referat die Textstelle, mit der er den Johannes vorstellt, tippt: *Johannes-Evangelium, Kapitel 19,*

Vers 25: Es stand aber bei dem Kreuze Jesu seine Mutter und seiner Mutter Schwester, Maria, des Kleopas Frau, und Maria Magdalena. 26: Da nun Jesus seine Mutter sah und den Jünger dabeistehen, den er liebhatte, spricht er zu seiner Mutter: Weib, siehe, das ist dein Sohn! 27: Danach spricht er zu dem Jünger: Siehe, das ist deine Mutter! Und von der Stunde an nahm sie der Jünger zu sich.

Hanno sieht aus dem Fenster.

Zu Johannes musste Jesus eine besondere Beziehung gehabt haben, sonst hätte er ihn nicht um diesen wichtigen Gefallen gebeten.

Wenn nun Bertram sterben und Hanno bitten würde, sich um seine Mutter zu kümmern? Aber da wären ja bestimmt noch andere Verwandte zur Stelle.

Hatte Maria sonst niemanden? Auf jeden Fall hatte Jesus besonderes Vertrauen zu Johannes. Vielleicht auch, weil Johannes es ausgehalten hatte, bei der Kreuzigung dabei zu sein, und sich nicht versteckte wie die anderen Jünger.

Hanno druckt sein Referat aus.

Er locht die Seiten und heftet sie mit den Abbildungen verschiedener Kunstwerke in einen Schnellhefter.

Dann steckt er Melchers Bücher in eine Tragetasche. Er will sie ihm bald zu Hause vorbeibringen, damit sein Schreibtisch leer ist, damit er seine Schulsachen wieder ausbreiten kann, damit – Hanno grinst vor sich hin – er vielleicht endlich Nora in der Weberstraße antreffen wird.

Nora, die ihm vertraut sein wird in dem so abweisenden Haus.

Nora, deren Lachen die Dunkelheit des Hauses durchfluten wird wie ein Laserstrahl.

Ja, er wird die Sachen bald vorbeibringen.

Bald? Warum nicht gleich?

Hanno hat heute Abend Zeit ...

Auf dem Fahrrad pfeift er vor sich hin, spürt den kalten Fahrtwind auf seinem heißen Gesicht. Schon von weitem sieht er hell erleuchtete Fenster bei Melchers. Nora ist bestimmt da.

Hanno stellt sein Fahrrad neben der Steintreppe ab und klingelt. Hundegebell ertönt.

Kurze Zeit später öffnet Franziska Gehlen die Tür. Wieder trägt sie enge Jeans, einen roten Pullover und hat diesmal die blonden Haare mit Spangen hochgesteckt.

»Ich will Herrn Melcher ein paar Bücher zurückbringen.«

»Komm rein.«

Der Dackel umspringt Hanno wie einen alten Freund.

»Herr Melcher kommt gleich runter. Warte hier im Flur.«

Franziska Gehlen verschwindet hinter einer der Türen.

Hanno steht auf dem bunt gemusterten Läufer.

Neben ihm tickt eine Standuhr mit langem Messingpendel.

Der Hund beschnuppert Hanno und legt sich platt vor ihn auf den Boden.

»He? Was willst du? He?« Hanno beobachtet argwöhnisch das Tier, das sich nun auf den Rücken rollt und mit den Beinen in der Luft rudert.

In dem Moment hört Hanno Noras Stimme.

»Das geht dich überhaupt nichts an«, schreit Nora hinter einer Tür. »Misch dich nicht in mein Zeug ein!«

Eine andere Stimme entgegnet etwas.

»Na und!«, schreit Nora. »Das geht dich einfach nichts an! Du spionierst mir nach!«

Die andere Stimme sagt wieder etwas.

»Nein!«, brüllt Nora. »Du willst ja nur Papa!«

Die andere Stimme spricht leiser, langsamer.

»Ich? Ich bin dir scheißegal!« Noras Stimme überschlägt sich. »Hau doch wieder ab! Hau doch endlich wieder ab!«

Eine Tür wird aufgerissen.

Franziska Gehlen rennt in den Flur hinaus und stößt mit Hanno zusammen.

»Äh … du bist ja noch immer da. Ist Herr Melcher noch nicht gekommen?«

Sie öffnet die Tür zum Arbeitszimmer, ruft: »Ludwig? Ludwig?«, und wendet sich wieder Hanno zu. »Keine Ahnung, wo er steckt, aber leg die Bücher schon mal auf seinen Schreibtisch. Ich ordne sie gleich ein.«

Hanno durchquert Melchers Arbeitszimmer.

Auf der rechten Seite leuchtet das blaue Bild zu ihm herüber.

Eindringlich und ernst.

Rasch schiebt Hanno die Bücher auf den Schreibtisch und hastet aus dem Raum. Auf einmal hat er keine Lust mehr, Nora zu sehen.

Schon gar nicht diese fremde Nora mit der Schreistimme.

Diese Nora hat mit Hannos Nora nichts zu tun.

Gar nichts.

Franziska Gehlens Haare haben sich aus den Spangen gelöst und hängen auf ihre Schultern herab. Sie sieht völlig durcheinander aus.

»Ich mach die Haustür hinter dir zu.« Die junge Frau schnappt den Dackel am Halsband, der neben Hanno das Haus verlassen will.

Hanno springt die Steinstufen hinunter, schwingt sich auf sein Fahrrad und rast durch die Dunkelheit nach Hause.

Er weiß nicht, was er denken soll, streift einen Briefkasten, reißt sein Rad zur Seite und fährt in Zickzacklinien weiter.

Er kann nur eins denken: Bei Melchers stimmt was nicht.

Und gerade das will er nicht denken.

5

Am nächsten Morgen zieht Hanno seinen Stuhl und seinen Tisch dicht an Noras Platz heran. Er will ihr Lachen hören, ihr Flüstern und ihre samtige Stimme. Er will hören, dass er sich gestern im Flur verhört hat und dass Nora so wie immer ist, gut drauf und witzig.

»Mein Bruder hat schon wieder 'ne Neue«, raunt Maren Nora zu.

»Echt?«

»Dabei tut er immer so harmlos. Der wickelt meine Eltern um den Finger.«

»Aber die sind doch so streng.«

»Nur Mama. Papa kriegt ja nichts mit.«

»Und wer ist die Neue?«

»Corinna aus der Elf. Kennst du die?«

»Die mit der bescheuerten Sonnenbrille?«

»Könnt ihr beide eure Privatgespräche auf die Pause verschieben?«

Lohmann droht mit dem Zeigefinger.

Maren und Nora kichern.

Hanno entspannt sich.

Er hätte Maren und Nora noch stundenlang zuhören können.

Über dies und über das.

Plätschernd und heiter.

Schummi hängt das bunte Riesenposter eines Ferraris an die Tafel.

»Okay«, sagt er, »jetzt kommt mein Superreferat, und wehe, wenn ihr Fragen stellt.«

Gelächter. Nur Lohmann lacht nicht. Der lehnt mit geöffnetem Notizbuch an der Fensterbank.

Schummi erklärt die Besonderheiten eines Rennwagens, redet über die Karrieremöglichkeiten eines Rennfahrers und verteilt Autogrammkarten aus seiner Sammlung.

Anschließend stellt Bertram den Leiter des städtischen Zoos vor, Anna referiert über einen Balletttänzer und Maren über eine Kindergärtnerin.

Hanno malt Dreiecke auf ein Blatt Papier. Rechtecke und Quadrate.

Setzt da hinein Punkte. Pick. Pick. Pick.

Lohmann sieht auf seine Uhr. »Noras Referat schaffen wir noch.«

Nora geht nach vorne und legt ihre Zettel auf das Pult.

»Also ich spreche über einen Karatemeister.«

»Aha!« Das kommt von Schummi.

»Bitte keine Zwischenrufe.«

Nora wirft ihre langen Haare über ihre Schultern.

Nur einmal will Hanno diese Haare berühren und daran riechen.

Nur einmal will er dieses schwarze, weiche Tuch in die Hände nehmen.

Nur einmal? Quatsch, ganz oft!

»Hast du bei dem Typ Karateunterricht? Ist der dein Privatlehrer?« Wieder Schummi.

»Ja klar.«

Aufgepasst, Hanno! Was ist das für ein Typ? Findet Nora den interessant? Schon Ende vierzig? Ach so.

Entwarnung, Hanno.

Haha. Der ist außer Konkurrenz, der Opa.

Hanno malt Kreise wie Sonnen. Setzt Strahlen darum.

Noras Stimme fließt durch den Raum und die Ameisen tanzen auf Hannos Armen.

Nora spricht vom Kampfsport ohne Waffen, der Harmonie von Körper und Geist, vom Shotokan-Stil.

»Mach doch mal 'ne Übung vor«, sagt Torsten.

Nora schüttelt den Kopf.

»Sie hat hier doch keine Matte, du Anfänger«, ruft Schummi.

»Ich brauche keine Matte, aber ich mache trotzdem keine Übung.«

Lohmann schaltet sich ein.

»Ruhe! Lasst Nora zu Ende sprechen.«

Nora erklärt den Leichtkontaktstil und den Voll-
kontaktstil. Bei dem darf voll zugeschlagen werden.
Den würde Hanno nie ausüben. Eher den Leichtkontaktstil. Den kontrollierten Angriff, ja und die Part-
nerübungen.

Am liebsten mit Nora. Wochenlang mit Nora. Mit
oder ohne Matte.

»Dieses Selbstverteidigungssystem kommt aus
Ostasien. Das Ziel ist es, mit leeren Händen zu siegen.« Nora überfliegt ihre Zettel. »Ich glaube, das
war's.«

Mit leeren Händen siegen. Gewaltlos? Nur mit
Taktik? Nicht schlecht.

Es schellt zum Unterrichtsende.

»Vielen Dank, Nora«, sagt Lohmann und schreibt
etwas in sein Notizbuch. Donnernder Applaus in der
Klasse.

Schummi schlägt mit den Fäusten auf seinen
Tisch, schreit: »Whooow, whooow!«

Nora schlendert durch die Bankreihen nach hinten.

Als sie an Hanno vorbeikommt, fragt sie: »Na,
bist du mit deiner Malerei fertig?«

Hanno starrt auf sein voll gekritzeltes Blatt.

Was meint Nora?

Hat sie gedacht, er hätte ihr nicht zugehört?

Hanno dreht sich nach hinten.

»Ich hab dir doch zugehört.«

Nora beachtet Hanno nicht.

»Hast du Mathe gemacht?«, fragt sie Maren.

Als Hanno in der folgenden Deutschstunde an der Reihe ist, stellt er eine vergrößerte Abbildung des Johannes auf den Tafelrand.

Sein Blick schweift durch die Klasse.

Schummi hat den Kopf auf die Bank gelegt, als ob er schlafen würde. Bertram lehnt sich auf seinem Stuhl zurück und schaut nach vorne.

Maren liest einen Comic unter ihrer Bank und Nora spitzt Stifte.

Aber gleich wird sie zuhören, wenn Hanno aus der Werkstatt ihres Vaters erzählt.

Hanno berichtet über den Beruf des Restaurators, über Ausbildungswege und Arbeitsbereiche. Er spricht über Gemälde und Rahmen, Steinfiguren und Holzskulpturen, über Werkzeuge und Restaurierungstechniken, über die Verantwortung in diesem Beruf und die Liebe zu Kunstwerken.

Hanno schiebt die quietschende Wandtafel hoch,

sodass alle den Johannes sehen können. Ausführlich stellt er die Holzskulptur und ihre Restaurierung vor und erklärt, dass Jesus gerade vom Kreuz herab zu Johannes spricht und dass dieser Moment in der Haltung des Johannes deutlich sichtbar ist.

»Darum biegt der Johannes sich so zurück. Darum hebt er erschrocken die Hand.«

Hanno ahmt die Haltung des Johannes nach.

»Der ist persönlich von Jesus gemeint.«

Schummi hebt den Kopf. »Den Quatsch glaubst du doch wohl selbst nicht«, sagt er laut. »Das ist doch alles Schnee von gestern! Hier findet wohl Hannos Märchenstunde statt.«

Hanno lässt die Arme sinken.

Schummi sitzt aufrecht. »Woher willst du denn das alles überhaupt wissen?«

Auch Bertram schaltet sich ein. »Vielleicht hältst du dein Referat noch mal in Reli, Hanno! Da kriegst du bestimmt 'ne gute Note.«

Lohmann klopft mit dem Klassenbuch auf das Lehrerpult. Kreidestaub wirbelt auf. »Nun mal Ruhe, Herrschaften«, ruft er, »Hanno ist bestimmt noch nicht fertig.«

»Der ist fix und fertig«, meint Maren.

»Nee, jetzt mal im Ernst. Woher willst du denn das alles wissen?«, wiederholt Schummi.

Hanno fährt über seine abrasierten Haare.

Durch den Luftzug schwebt das Bild des Johannes vom Tafelrand und gleitet zu Boden.

»Das weiß ich aus Büchern und von einem Restaurator persönlich«, sagt er. Er nennt nicht Melchers Namen. Das geht niemanden etwas an, nur Nora.

Als Hanno zu ihr hinspäht, erschrickt er.

Noch nie hat er so ein blasses, starres Gesicht gesehen.

Es wirkt wie eine weiße Fläche zwischen den dunklen Haaren.

»Ja«, zischt Nora plötzlich, »das ist toll, wenn man dieses ganze Zeug weiß und darüber schön reden kann und Bilderrahmen poliert und Holzwürmer kaputtmacht und Figuren abstaubt ...«

Sie presst die Lippen aufeinander, legt ihre Arme auf den Tisch und vergräbt darin ihr Gesicht.

Weint sie?

In der Klasse herrscht gespannte Stille.

Maren streicht Nora über den Kopf.

Hanno steht unschlüssig neben der Tafel.

»Ich bin fertig«, sagt er schließlich, hebt das Bild des Johannes auf, nimmt seine Unterlagen vom Lehrerpult und geht an seinen Platz zurück.

Einige klatschen.

Hanno setzt sich auf seinen Stuhl und spürt den

ganzen Vormittag über Kälte im Rücken. Eisblaue Kälte. Die beißt auf seiner Haut.

Wie gerne würde Hanno sich zu Nora umdrehen und ihr starres Gesicht zum Lächeln bringen, doch er weiß nicht, wie.

Zum ersten Mal seit langer Zeit rückt Hanno seinen Stuhl dicht an seinen Tisch und stellt seine Füße nebeneinander.

Noras unterschiedliche Gesichter verwirren ihn und die Ameisen klammern sich an seinem Körper fest, verunsichert und traurig.

Der grüne Umschlag in Hannos Hosentasche fühlt sich klebrig an, so oft hat Hanno ihn in seinen Fingern hin und her gedreht. Sein Inhalt ist anders als all die schwachen Versuche der letzten Wochen.

Gestern Nachmittag hat Hanno einen Briefbogen aus dem Schreibtisch seiner Eltern geholt, in deutlich lesbarer Schrift an Nora einen langen Brief geschrieben, den Brief in einen grünen Umschlag gesteckt und den Umschlag zugeklebt. Schnell zugeklebt, ehe Zweifel oder Skrupel ihre Attacken starten würden.

Sätze wie *Ich mag deine Art zu lachen* oder *Wollen wir ins Kino gehen?* oder *Wie findest du mich?* stehen in dem Brief. Ehrliche Sätze, die Hanno loswerden muss, damit er nicht daran erstickt. Sätze, die Nora vielleicht in ihrer Starrheit erreichen und die Spannung von ihr nehmen können.

In unserem Keller vergammelt mein Tennisschläger. Soll ich den mal flottmachen? und *Es ist mir egal, was die anderen von mir denken. Ich mag dich. Ich mag dich. Ich mag dich.* Hanno war beim Schreiben ganz leicht ums Herz geworden.

Früh am Morgen steht er auf dem Schulhof in der Nähe der Fahrradständer.

Seine Finger streicheln den Brief in seiner Hosentasche.

Nora wird den Umschlag nach der Schule in ihrem Zimmer öffnen und schwarz auf weiß lesen, was sie schon seit langem spürt: Hanno liebt sie.

Ja, wird sie denken, der ist nicht so wie die anderen, so laut und flippig.

Der meint es ernst. Und sie wird lächeln und Hanno auch einen Brief schreiben. Einen langen, vielleicht zärtlichen Brief.

Nora taucht auf.

Sie stellt ihr Fahrrad in den Ständer und schließt es ab.

Ihr Blick fällt auf Hanno.

Abrupt dreht sie sich um und verlässt den Schulhof.

Hanno sieht Nora außen am grauen Drahtzaun entlanglaufen.

Nora nimmt einen anderen Weg.

Sie will Hanno nicht sehen.

Sie will nicht mit ihm sprechen.

Nora läuft zum Haupteingang der Schule, um nicht an Hanno vorbeigehen zu müssen.

Das ist eindeutig.

Das sitzt.

Hannos Finger verkrampfen sich um seinen Brief.

Wie automatisch hetzt er, an den Mülltonnen vorbei, quer über den Schulhof und in das Schulgebäude hinein. Jetzt bloß nicht ins Klassenzimmer gehen. Jetzt bloß nicht all die Grinsgesichter sehen. Jetzt bloß nicht Nora begegnen. Hanno biegt um eine Ecke, öffnet die Tür zu den Jungentoiletten und schließt sich in einer Kabine ein.

Hastig zieht er den Brief aus der Tasche und zerreißt den grünen Umschlag. Er zerreißt das Papier, zerreißt seine mutigen Sätze, wirft alles in die Toilettenschüssel, sieht, wie die Papierfetzen auf dem Wasser treiben, wie die Tinte verläuft, drückt die Wasserspülung, spült seine Sätze in die dunkle Kanalisation mit gurgelndem, stürmischem Wasser.

Längst hat es zum Unterricht gegongt.

Hanno öffnet die Tür zum Klassenraum, murmelt

eine Entschuldigung, geht an Frau Blabel vorbei und setzt sich auf seinen Platz.

Er klemmt seinen Stuhl eng an seinen Tisch, will nichts hören, nichts sehen, verbietet den Ameisen, ihre Rennstrecke aufzunehmen.

Er fühlt sich krank. Erschöpft und fiebrig.

Am liebsten würde er sich in sein Bett verkriechen, die Decke über den Kopf ziehen und weinen. Ja, weinen, wie damals, als er in der Grundschule Opa Werner einen Stiftebecher gebastelt und der darüber nur laut gelacht hatte. »Was ist denn das für ein Pisspott?«, hatte Opa Werner vor allen anderen gesagt. *Pisspott!* Und dabei hatte Hanno gehofft, dass Opa Werner durch dieses Geschenk freundlicher zu ihm sein würde, weniger abweisend.

Hanno schiebt die Unterlippe vor und richtet seinen Oberkörper auf.

Dann denkt er nach.

Vielleicht *musste* Nora außen um den Schulhof herum gehen, weil sie noch jemanden treffen wollte? Klar, sie hatte sich mit Maren oder Tine an der Haupttreppe verabredet.

Dass Hanno das nicht gleich eingefallen ist!

So wird es gewesen sein. Nora war an der Haupttreppe verabredet!

Hanno schüttelt den Kopf. Wie überstürzt er

gehandelt hat! Wie kindisch! Er bereut es, den Brief ins Toilettenwasser geworfen zu haben, doch nun ist es zu spät.

Hanno taucht aus seinen Gedanken auf.

Er sieht Frau Blabel mit geöffnetem Französischbuch durch die Reihen gehen, sieht Torsten und Anna und Sven.

Er dreht sich zur Seite, sieht Bertram und Schummi.

Er dreht sich nach hinten, sieht Maren und Nora.

Hanno sucht Blickkontakt zu Nora.

Nora sieht stur zur Tafel.

Im letzten Sommer hatte Hanno in einem Park eine verletzte Amsel bemerkt. Schwer zog sie den rechten Flügel nach, kroch unter eine zur Kugel geschnittene Eibe, blieb dort eine Weile liegen, kroch wieder hervor und schleppte sich zum nächsten Busch.

Diese Amsel fällt Hanno ein, als er Nora am nächsten Morgen in die Klasse kommen sieht.

Nora geht schwer, als trage sie eine Last, die ihre Schultern nach vorne drückt. Sie verkriecht sich auf ihren Platz, ohne Schummi oder Bertram oder Anna durch die Haare zu wuscheln oder deren Sachen vom Tisch zu fegen.

Hanno lehnt sich auf seinem Stuhl zurück.

Ein Ohr nach vorne, ein Ohr nach hinten.

Hinter ihm herrscht Funkstille.

»Hast du was?«, hört er endlich Maren in der Mathestunde flüstern.

»Lass mich in Ruhe«, faucht Nora.

Das ist ihr einziger Beitrag an diesem Vormittag.

Auch am nächsten und übernächsten Tag schleppt Nora sich von Versteck zu Versteck. Mal verschwindet sie lange Zeit auf der Toilette, mal liegt sie mit dem Kopf auf ihrer Bank, eingegraben in die Ärmel ihres Pullovers.

Sie meldet sich nicht, reagiert nicht.

»Hey, Täubchen«, ruft Schummi in einer Pause, »wenn ich nicht wüsste, dass dein Freund direkt vor dir sitzt, würde ich glatt sagen, dass du Liebeskummer hast.«

»Halt die Schnauze.«

»So redet man aber nicht mit dem lieben Schummi.«

Schummi kommt zu Noras Tisch und fasst in ihre langen Haare.

»Du meinst wohl, du dürftest dich hier einfach ausklinken, ohne uns Bescheid zu sagen.«

»Lass mich los, Blödmann!«

Nora springt auf und windet sich aus Schummis Griff.

»Lass sie los«, schaltet Hanno sich ein.

»Aha, der Prinz wird lebendig.« Schummi greift in Hannos rote Butterbrotdose und nimmt sich eine Brothälfte.

»Die kannst du haben«, sagt Hanno, »Babys brauchen viel zu essen.«

»Hört doch auf«, schaltet Bertram sich ein.

Er geht nach vorne und schreibt *Samstag 16 Uhr* an die Tafel, darunter *Holtmanns Weg 25*.

»Nicht vergessen«, sagt er, »Chips und so Zeug mitbringen.«

»Gehst du auch zu Bertrams Fete am Samstag?«, fragt Maren Nora.

Hanno spitzt die Ohren.

»Weiß ich doch nicht.«

Keine Samtstimme.

Zischstimme.

Am nächsten Morgen steht Hanno wieder auf dem Schulhof.

Raureif liegt auf dem Asphalt, auf den Zäunen und Bäumen.

Endlich taucht Nora im Morgenlicht auf.

Sie fährt auf den Hof, schiebt ihr Rad in den Fahrradständer und schließt es ab. Als sie sich aufrichtet, rutscht die Kapuze ihres schwarzen Mantels von ihrem

Kopf. Darunter kommen kurze grüne Haare zum Vorschein, leuchtend wie eine neonfarbene Bademütze.

Nora starrt Hanno an.

Hanno starrt Nora an.

Hastig zieht sich Nora die Kapuze über den Kopf und rennt zum Schulgebäude.

In der Klasse behält Nora ihren Mantel an, nimmt ihre Kapuze erst mitten im Unterricht ab.

Lohmann trägt gerade ein Gedicht vor, da stößt Maren plötzlich einen schrillen Schrei aus. »Was hast *duuu* denn gemacht?«

Alle Blicke richten sich auf Nora, die kerzengerade auf ihrem Stuhl sitzt.

Die kurzen Haare stehen wie grüne Antennen von ihrem Kopf ab.

Peng! Lohmann klappt sein Buch zu.

»Gewöhnungsbedürftig«, meint er, »schwer gewöhnungsbedürftig, Nora.«

»Deine schönen langen Haare!«, ruft Maren bedauernd.

»Vielleicht hat sie die unter eine Perücke gestopft«, meint Schummi, »dann können wir ja noch guter Hoffnung sein.«

Hanno dreht sich nicht zu Nora um. Er weiß, was er sehen würde: eine traurige Nora mit starren Augen und gritzegrünen Stacheln auf dem Kopf, eine verletzte Amsel.

78

6

»Fehlt noch jemand?«, ruft Bertram von der Haustür zu Schummi, Anna und den anderen hinüber, die im zugigen Vorgarten stehen und sich die kalten Hände reiben. Im selben Moment hält ein knallroter Wagen in der Einfahrt und Nora steigt aus.

Ohne sich noch einmal zur Fahrerin des Wagens umzudrehen, läuft sie auf dem Kiesweg durch den Vorgarten und stellt sich neben Maren.

Schwarzer Mantel, schwarzer Schal, schwarze Kapuze.

Hanno weiß, wer die blonde Fahrerin ist, die hupt und fröhlich winkt: Franziska Gehlen. Bertram geht zum Auto und unterhält sich mit ihr.

Sie hupt noch einmal und fährt rückwärts aus der Einfahrt.

Nora ist mit den anderen im Haus verschwunden.

Hanno geht neben Bertram in den Flur. »Meine Leute sind heute ausgeflogen«, sagt Bertram, »wir haben den ganzen Laden für uns.«

Hanno nickt.

Er kennt sich gut aus hier.

Bertrams Familie wohnt in einem kleinen Dorf in der Eifel.

Früher hat Hanno häufig bei Bertram übernachtet. Das war jedes Mal wie eine Reise in eine andere Welt. Bertram kannte jeden Menschen im Dorf, jede Katze, jeden Hund. Wenn er mit Hanno durch die Straßen ging, dauerte das endlos, weil Bertram an jedem zweiten Gartenzaun stehen blieb. Hanno ebenfalls. Den kannten inzwischen auch viele.

Hanno sitzt in Bertrams Zimmer, trinkt Cola, isst Chips und schaut zu, wie ein paar aus seiner Klasse im Internet surfen.

Irgendwann stürzt Schummi herein und ruft: »Hat jemand Lust auf einen kleinen Fußmarsch?«

Hanno sieht aus dem Fenster. Es ist dämmrig und die Bäume biegen sich im Winterwind. Hanno zögert, doch dann steht er auf. »Okay«, sagt er, »ich komme mit.« Er will sehen, ob es auf den Feldern und im Wald so aussieht wie früher.

Im Flur warten Torsten, Maren, Anna und Nora, vermummt in Mantel und Schal.

»Ich habe noch einen Todesmutigen gefunden!«, ruft Schummi.

Hanno schlüpft in seine Wetterjacke, riecht den säuerlichen Geruch von Bier.

»Du kommst mit, Hanno?« Noras Stimme klingt fremd und so, als ob ihre Zunge ihr nicht ganz gehorche. »Hat dir deine Mami denn eine Mütze eingesteckt?« Alle lachen.

Auf dem steinigen Feldweg rennt Schummi voran.

»Fehlt bloß noch, dass du auf Händen läufst«, meint Anna.

»Für dich tue ich alles«, ruft Schummi und macht einen Handstand.

Gleich darauf springt er von einem Fuß auf den anderen. »Scheiß Steinchen! Scheiß Steinchen!«

Hanno geht hinter den anderen her. Er geht alleine, doch das macht ihm nichts aus. Daran hat er sich in den letzten Wochen gewöhnt.

Anna, Maren und Nora haben sich eingehakt. Ab und zu fegt der Wind Noras Kapuze von ihrem Kopf und spielt mit den kleinen Antennen.

Der Weg ist hart gefroren, schlängelt sich zwischen dunkelbraunen Erdschollen. Zu beiden Seiten ragen Schlehenbüsche und Weißdornhecken in die winterliche Luft. Unten im Tal und über den Hügeln lagern Tannenwälder wie dunkelgrüne Teppiche.

»Lohmann würde sich freuen, wenn er uns sehen könnte!«, hört Hanno Maren rufen. Der Wind treibt ihm Wortfetzen zu, manchmal einen Hauch von Wärme, von Alkohol.

Hanno wusste gar nicht, dass Nora und die anderen Mädchen Alkohol trinken. Das hatte er nie mitbekommen. Aber wann auch? Schon seit Wochen war er auf keiner Fete mehr gewesen.

Eine asphaltierte Straße führt steil in den Tannenwald hinab. In wärmeren Zeiten wird sie von einem klaren Bach auf der linken Seite begleitet, doch der hat sich nun in ein graues Rinnsal verwandelt. Wie oft haben Bertram und Hanno hier Staudämme gebaut oder einfach im Gras gelegen und beim Gezwitscher der Vögel über alles Mögliche geredet. Hanno überflutet ein wohliges Gefühl, wenn er daran denkt.

Vielleicht sollte er im Frühjahr mal wieder in die Eifel fahren? Mit Nora. Sie einfach fragen, mit dem Bus ins Dorf schaukeln und hierher kommen.

Die Gruppe ist im Tal an der Holzbrücke angelangt, die über einen schmalen Fluss führt, in den der Bach mündet. Schummi und Torsten hocken wie Nebelkrähen auf dem Geländer. Nora, Anna und Maren laufen über die Brücke auf die andere Seite. Sie schlagen die Arme um den Körper und hüpfen auf und ab.

Hanno setzt sich auch auf das Holzgeländer. Sein Blick fällt auf den grauen Betonbunker, der breit wie ein gefleckter Elefantenrücken vor einem Schieferfelsen ruht.

»Ey, Nora, du hast ja Seegang! Du kommst ja gar nicht mehr auf die Brücke rauf!«, ruft Schummi. Im selben Moment rutscht Nora aus und fällt auf die erste Stufe der Holzbrücke. »Aua! Mist!«, ruft sie und stützt sich mit den Händen ab. Schummi springt vom Geländer, reicht ihr die Hand und zieht sie hoch.

»Was ist denn das da für ein Brocken?« Anna weist zu den Schieferfelsen hinüber.

»Das ist ein Bunker aus dem Zweiten Weltkrieg«, sagt Hanno. Wieder denkt er an die Spaziergänge mit Bertram, auf denen Bertram ihm viel über diese Gegend erzählt hat. »Hier gab es jede Menge Bunker. Die meisten sind inzwischen gesprengt.«

Schummi stürmt los. »Wir schauen mal nach, ob man da noch reinkann!« Der Eingang des Bunkers ist mit Stacheldrahtrollen versperrt, die an den Seiten hochgebogen sind. Papier und verrostete Dosen liegen auf dem Boden und ein schmaler Gang führt tief in die Dunkelheit.

Alle drängen sich aneinander und schauen in das Dämmerlicht.

»Wie viele Menschen hier wohl reingegangen sind.«

»Und wie viel Angst die wohl gehabt haben.«

»Vor allem die Kinder.«

»Die Erwachsenen vielleicht noch mehr. Die wussten, was los war.«

Plötzlich ist es still. Keiner redet.

Über dem Wald schreit eine Krähe.

»Ist das unheimlich hier«, flüstert Maren.

Was hatte Bertram Hanno erzählt?

»In diesen Bunkern wurde nicht die Bevölkerung untergebracht«, sagt Hanno, »die waren zur Abwehr der Feinde aus dem Westen da.«

»Engländer?«

»Ja, und Amerikaner.«

»Trotzdem unheimlich hier.« Maren schüttelt sich.

Schummi läuft auf der rechten Seite um den Bunker herum und versucht, auf den Schieferfelsen zu klettern.

»Du bist ja verrückt! Es ist viel zu dunkel! Du siehst ja gar nichts mehr!«, ruft Anna.

Hanno und Torsten versuchen ebenfalls, die Felsen zu ertasten und höher und höher zu steigen. Bloß weg von dem Bunker. Bloß sich bewegen, um nicht noch mehr zu frieren.

Auf einem Felsvorsprung hält Hanno an, außer Atem und mit steifen Fingern. Er blickt sich um, sieht im schwachen Abendlicht den Fluss und die Holzbrücke, sieht die schwarzen Umrisse zweier Mädchen, die den Asphaltweg durch den Tannenwald hoch laufen.

»Vielleicht finden wir hier oben noch einen anderen Eingang zum Bunker«, sagt Torsten.

»Glaub ich nicht.«

»Aber irgendwo müssen die doch einen zweiten Ausgang gehabt haben.«

»Weißt du, wie groß so ein Bunker ist? Da gibt es noch mehr Ausgänge, aber bestimmt nicht hier oben.« Hanno dreht sich um und steigt den Felsen wieder hinab.

»Okay, gehen wir zurück«, meint Schummi, »mir ist saukalt.«

Als die Jungen bei der Holzbrücke angelangt sind, ruft er: »Hey, Mädels! Wir machen uns auf den Heimweg!«

»Die sind garantiert schon vorausgegangen«, meint Torsten.

»Ja, zwei habe ich gesehen«, stimmt Hanno zu.

Schummi setzt sich in Bewegung. »Dann können wir auch lossprinten. Vielleicht holen wir die noch ein.«

Die Jungen laufen den Asphaltweg hinauf, doch Hanno hat ein merkwürdiges Gefühl.

»Ich habe nur zwei von den Mädchen gesehen«, wiederholt er.

»Das macht doch nichts«, erwidert Schummi, »die waren bestimmt zu dritt. Die bleiben doch zusammen.«

Hanno bleibt stehen.

»Und wenn doch eine hiergeblieben ist?«

»Die hätten wir gesehen.«

»In der Dunkelheit?«

»Die wäre doch in unserer Nähe gewesen.«

»Und wenn nicht?«

»Dann kommt sie nach.«

»Allein im Dunkeln?«

Schneidender Wind pfeift durch die Tannen, frisst die Worte, frisst den Atem.

Hanno dreht sich um. »Wir schauen noch mal nach.«

»Mensch, Hanno. Du hast eine blühende Fantasie.« Schummi klappert mit den Zähnen.

Gemeinsam laufen die Jungen zur Holzbrücke zurück.

Inzwischen ist es so dunkel, dass sie den Weg kaum erkennen können.

»Hey, Maren!«, schreit Schummi in den Nachtwind. »Hey, Anna!«

»Hey, Nora!«, ruft Hanno.

Keine Antwort.

»So ein Schwachsinn«, schimpft Schummi.

Hanno läuft zum Bunker. »Hallo! Hey!«, ruft er durch den Stacheldraht in die Finsternis hinein.

»Kommt mal schnell!«, ertönt plötzlich Torstens Stimme. »Hier ist jemand.«

Hanno hastet hinter Schummi her in die Richtung, aus der Torstens Stimme erklungen ist.

Torsten hockt neben einem Felsen, unter dessen vorkragendem Stein eine vermummte Gestalt kauert.

Nora.

»Bist du wahnsinnig! Was hockst du denn hier in der Kälte«, fährt Schummi sie an.

Nora kann kaum sprechen, so sehr zittert sie. »Die anderen … die anderen waren auf einmal weg. Wo wart ihr … wo wart ihr denn?«

Schummi und Hanno helfen Nora auf die Beine.

»Bin so müde.«

»Du machst vielleicht Witze, Fräulein Melcher. Wenn Hanno nicht gesagt hätte, dass wir noch mal umdrehen sollen, wären wir auch weg gewesen.«

»Ich weiß nicht …«

»Warum haben Anna und Maren nicht auf dich gewartet? Die spinnen wohl.«

»Ich wollte noch bleiben …«

»Mädchen! Ich sage nur: Mädchen!« Schummi hakt Nora unter.

»Kannst du laufen?« Hanno zieht Nora die Kapuze über den Kopf.

»Geht wohl«, sagt sie.

Hanno nimmt Noras linken Arm und drückt ihn vorsichtig.

»Hast du vorhin was genommen oder zu viel gesoffen oder was?«, fragt Schummi.

»Weiß nicht …«

»Du machst vielleicht Sachen.«

Hanno und Schummi schleppen Nora durch den Wald, den Feldweg entlang bis zum Dorf. Keiner sagt etwas. Alle sind zu beschäftigt, dem eisigen Nachtwind Widerstand zu leisten und den Bunker mit seinen Bildern und die Gefahr, in der sich Nora befunden hat, hinter sich zu lassen.

Nach einer Weile wird Noras Schritt kräftiger und die Muskeln ihrer Arme fester. Das spürt Hanno durch den Ärmel.

Er lockert seinen Griff.

Das Haus von Bertrams Familie ist hell erleuchtet und warm.

»Uff«, macht Schummi, als sie den Flur betreten und von den anderen empfangen werden, als seien sie von einer Polarexpedition heimgekehrt.

»Wir wollten schon die Polizei anrufen!«

Aus dem Keller dröhnen Bassrhythmen herauf und erschüttern den Fußboden.

»Gehst du mit runter?«, fragt Bertram Hanno.

Den Partyraum kennt Hanno gut. Früher hat er dort oft mit Bertram Getränke verteilt, wenn Bertrams Eltern Gäste hatten.

Er setzt sich neben Bertram an die Bartheke, knabbert Salzstangen und reibt die Füße aneinander. Er friert noch immer.

»Nora war wohl ziemlich zu, als ihr rausgegangen seid«, sagt Bertram. »Die trinkt zu viel.«

»Keine Ahnung, jedenfalls hatte sie verdammtes Glück, dass wir noch mal zurückgegangen sind.«

»Sie ist in letzter Zeit mit Leuten vom Reiten zusammen, die kiffen und Mengen von Alkohol trinken.«

»Leute vom Reiten?«

»Ich weiß auch nicht genau. Das hat Maren mir erzählt.«

Nora, die Amsel. Die verletzte Amsel. Ein weiches Gefühl durchflutet Hanno. Ein anderes Gefühl als die huschenden Ameisen.

Was sind das für Leute vom Reiten? Was haben die mit Nora zu tun?

Eine Weile bleibt Hanno noch auf dem Barhocker sitzen, dann quetscht er sich zu Torsten und den Computerfreaks auf das Sofa.

Anna, Maren und Tine tanzen.

Allein oder zu dritt oder mit Schummi und Bertram. Und Nora?

Unruhig verlässt Hanno den Partyraum und läuft die Treppe hinauf, zwei Stufen auf einmal nehmend.

Er schaut in die Küche und ins Wohnzimmer, aber dort ist Nora nicht.

Bertrams Zimmertür ist geschlossen.

Hanno öffnet sie vorsichtig und späht in den dunklen Raum.

Im Licht der Straßenlaterne sieht er Nora auf Bertrams Bett liegen.

Als Hanno näher kommt, dreht sie den Kopf zu ihm.

»Hallo«, sagt Hanno und hockt sich behutsam vor Bertrams Bett. »Wie geht's?«

Nora schweigt.

»Hast du geschlafen?«

Nora schweigt.

»War ganz schön kalt da draußen.«

Nora schweigt und nun schweigt Hanno auch.

Leise surrt die Sauerstoffanlage in Bertrams Aquarium.

Nora schluckt.

»Geh weg!«, sagt sie mit heiserer, schroffer Stimme.

Hannos Wangenmuskeln spannen sich.

»Geh weg!«, wiederholt Nora.

Hanno erhebt sich.

Er steht mitten im Zimmer und sieht auf Nora hinab.

Schwer hängen seine Arme an seinem Körper.

Er hat keine Erklärung erwartet, warum Nora so viel Bier getrunken hatte, und auch keinen Dank für die Suchaktion im Wald, aber diese Worte sind das Letzte, was er erwartet hat.

Geh weg!

Die Zweige vor dem Fenster flackern im Laternenlicht über den Parkettboden, über das Bett.

Geh weg!

Hanno geht rückwärts zur Tür, öffnet sie und verlässt den Raum.

Er hetzt zurück in den Keller, zurück in den Krach, in den Geruch von Zigarettenrauch und Alkohol.

Er kann nichts denken, will nichts denken und beginnt, wie im Rausch zu tanzen. Dabei wächst in seinem Körper Wut. Hilflose Wut, die seine Arme und Beine hin und her schleudert.

Na gut, Nora Melcher, jetzt weiß ich Bescheid.

Du magst mich nicht.

Du willst mich nicht sehen, nicht mit mir sprechen.

Da hab ich mich nicht verhört.

Okay, Nora Melcher.

Ich hab's kapiert.

Hab's endlich kapiert.

Du willst mich nicht.

Hanno stampft wie ein angeschossenes Tier.

Voll Schmerz. Voll Widerwillen.

Aus. Aus. Aus.

Ade, Nora Melcher.

Ich hab's kapiert.

Anna und Tine tanzen zu ihm heran.

»Du hast ja Temperament!«, schreit Tine durch die Musik. »Das wusste ich gar nicht.«

Hanno nickt heftig mit dem Kopf.

7

»Nora ist stark erkältet«, sagt Maren zu Lohmann am Beginn der nächsten Deutschstunde.

»So? Nora Melcher ist stark erkältet?«, wiederholt Lohmann. »Nennt man so die Folgen eurer Wochenendvergnügungen?«

Wenn der wüsste!

Wenn der die zitternde Nora unter dem Felsen gesehen hätte!

Hanno spitzt seinen Bleistift.

Nein, weg mit den Bildern aus seinem Kopf!

Weg damit!

Und doch ziehen die Ameisen wieder heran.

Sie turnen am Tischbein hinauf und huschen über Hannos Körper.

Trippelnde, leichte Füßchen.

Wie mag es Nora gehen? Hat sie hohes Fieber?

Vielleicht fühlte sich Nora auf Bertrams Bett schon krank?

Vielleicht ist sie deshalb so abweisend zu Hanno gewesen?

Hannos Hand beginnt zu zittern.

Krach! Die Bleistiftspitze bricht ab.

Schluss jetzt, Hanno!

Hanno streicht über seine Arme.

Haut ab, Ameisen!

Nicht mehr mit mir.

Mit mir nicht.

In der Pause geht Hanno hinter Bertram und Schummi her, wagt nicht, die beiden anzusprechen, ist froh, als Bertram ihn fragt, ob er nachher die Versuchsbeschreibung für Physik von Hanno abschreiben darf.

»Na klar doch!«

Hanno lacht mit, als Schummi von seinem letzten Besuch auf dem Nürburgring erzählt und gestenreich einen fanatischen Zuschauer nachahmt. Dabei spürt er, dass sein Lachen wieder echt und tief ist.

»Der Typ hatte fast so einen schrägen Schnitt wie du«, sagt Schummi und zeigt auf Hannos Haare.

Hanno stutzt einen Moment, doch dann grinst er.

»Der Arme tut mir Leid«, sagt er. Ja klar, seine Haare sollen wieder nachwachsen. Schluss mit dem kurz geschnittenen Rasen.

Als Hanno neben Bertram und Schummi durch das Schulgebäude geht, fühlt er sich leichter als in den zurückliegenden Wochen.

Er nimmt wahr, dass ihn Leute vom Volleyball grüßen oder dass das kleine Mädchen aus dem Nachbarhaus vor ihm die Treppe hinaufläuft.

Er sieht eine Serie bunt gemalter Schmetterlinge im Treppenhaus hängen und eine Blumenbank mit blühenden Topfpflanzen auf dem Treppenabsatz stehen.

»Gibt's die Blumen schon länger hier?«, fragt er Bertram.

»Seit Merschmanns sechzigstem Geburtstag, du Träumer.«

Der Direktor der Schule ist sechzig Jahre alt geworden? Wann war das denn? Das hatte Hanno überhaupt nicht mitbekommen.

Hanno bleibt mitten im Flur stehen, wird von hinten angerempelt.

»Komm schon«, ruft Schummi, aber Hanno rührt sich nicht von der Stelle. Wo war er in den letzten Wochen eigentlich?

»Na, Hanno«, spricht ihn Tine von der Seite an, »du bist wohl ganz verlassen ohne Nora.«

Verlassen? Das ist das Stichwort.

Hanno fühlte sich seit Wochen verlassen.

Von allen.

Wie auf einer Insel. Wie in einem Gefängnis.

Doch jetzt ist Schluss damit!

Hanno schlängelt sich durch die Schülergruppen,

geht in den Klassenraum und lässt sich auf seinen Stuhl fallen.

Er wird nicht mehr jeden Morgen auf dem Schulhof stehen.

Er wird im Unterricht nicht mehr ständig hören wollen, was hinter ihm geredet wird.

Er wird seine neuen Klamotten seinem Cousin, dem Modeaffen, schenken. Hanno verschränkt die Arme vor der Brust, streckt die Beine lang und lehnt sich bequem zurück.

Er wird mal wieder mit Max schwimmen gehen.

Er wird mal wieder an einem Wochenende Bertram besuchen.

Er wird mal wieder Torsten zum Volleyballtraining abholen.

Er wird sich mal umsehen, welche Mädchen ihm sonst noch so gefallen.

Anna mit dem roten Pferdeschwanz oder die Bohnenstange Tine?

Hanno lächelt vor sich hin.

Sein Hochgefühl hält in den nächsten Tagen an.

Klar, er kriegt mit, dass Nora total blass ist, müde umherschleicht und schlechte Noten bekommt.

Aber das will Hanno gar nicht speichern.

Zu Beginn der neuen Woche geht Hanno zu Schummi.

»Wollen wir wieder die Plätze tauschen?«, fragt er entschlossen.

»Hä?«, macht Schummi.

»Ja, du kannst dich auf deinen alten Platz zurücksetzen.«

»Das ist aber gütig von dir.« Schummi zieht betont langsam seine Jacke aus. »Und wenn ich neben Bertram sitzen bleiben will?«

Hanno zuckt mit den Schultern. Was soll er dann machen?

»Na gut«, Schummi nimmt seine Jacke und seine Tasche, »dann setze ich mich halt wieder vor die Mädels.«

Er schlendert zu seinem alten Sitzplatz und pufft im Vorbeigehen in Noras Rücken. »Da staunst du, mein Schatz. Der liebe Schummi kommt wieder zu dir.«

Nora fährt hoch. »Lass mich bloß in Ruhe«, zischt sie.

»Schon gut, schon gut«, winkt Schummi ab.

Hanno setzt sich wieder neben Bertram.

Eigentlich ist alles wie früher, doch Hanno spürt ein merkwürdig trauriges Gefühl, wenn er zu Nora hinüberblickt, sie mit dem Kopf auf der Bank liegen sieht oder ihre schleppende Stimme hört.

»Nora Melcher«, sagt Frau Blabel in der Französischstunde, als sie Nora aufgerufen hat und Nora nicht reagiert, »du weißt, dass deine Mitarbeit sehr nachgelassen hat. Nicht nur in meinem Unterricht ...«

Frau Blabel stellt sich neben Noras Stuhl. »Wir fänden es alle gut, wenn du wieder etwas mehr Interesse am Unterricht zeigen würdest.«

Nora sitzt aufrecht, als habe sie einen Stock verschluckt. Sie hält den Kopf hoch erhoben wie eine stolze Prinzessin und würdigt Frau Blabel keines Blickes. Schön sieht sie aus mit ihrem langen, schlanken Hals, ihrem runden Kinn und der geraden Nase.

Rasch senkt Hanno die Augen und blättert in seinem Französischbuch.

Bloß nicht zu lange Nora ansehen.

Bloß nicht all die unberechenbaren Ameisen aus ihrem Tiefschlaf wecken.

Am nächsten Tag kommt Lohmann überraschend vor der Englischstunde in den Klassenraum.

Er stellt seine Aktentasche auf das Pult und grinst spitzbübisch.

»Herr Wösner ist heute krank. Ich darf ihn vertreten und euch dafür zwei Deutschstunden geben.«

»Auch das noch«, stöhnt Schummi.

Lohmann klemmt seine Tasche unter den Arm und blickt umher.

»Hat jemand etwas dagegen, wenn wir den Unterricht ins Café verlegen?«

Begeisterung in der Klasse.

»Wir können dort ja ein bisschen Advent feiern«, schlägt Schummi vor, »und Lieder singen.«

»Wenn wir dich nicht hätten«, sagt Lohmann.

Das Café Stromberg ist nicht weit von der Schule entfernt.

Durch den hohen Raum mit den bunten Glasfenstern schallt laute Musik und es duftet nach Kaffee und Schokolade. In der Mitte des Raumes hängt ein großer Adventskranz von der Decke, an dem eine dicke rote Kerze brennt. Hanno setzt sich neben Bertram an einen runden Tisch, an dem sich auch Schummi, Torsten und ein paar Mädchen niederlassen.

»Gemüüütlich«, sagt Schummi. Er verwickelt Torsten und die anderen in ein Gespräch über den Sinn von Adventsbräuchen.

Lohmann zieht seinen Stuhl neben Schummi.

Hanno sieht sich um. Viele der Tische sind besetzt. Links am Fenster sitzen zwei Frauen mit kleinen Kindern, daneben ein alter Mann. Weiter hinten spielen Anna, Tine, Maren und Nora *Mensch ärgere dich nicht* an einem der rechteckigen Spieltische. Das heißt, Anna, Tine und Maren spielen, während Nora unbeteiligt dabeisitzt und in die Luft starrt.

»Hey!« Bertram stößt Hanno in die Seite. »Träumst du?«

Hanno zuckt zusammen.

»Nora ...«, er zögert, »... Nora ist so komisch geworden.«

»Hm.«

»Was hat die bloß?«

Bertram runzelt die Augenbrauen. »So richtig weiß ich das auch nicht, aber meine Eltern haben vor kurzem gesagt, dass ihr Vater wieder geheiratet hat.«

»Wen denn?«

»Die junge Frau, die bei Melchers den Haushalt führt.«

»Franziska Gehlen?«

»Genau. Melcher kennt sie wohl schon länger. Sie ist Hauswirtschafterin und vom Sozialdienst eingesetzt.«

Hanno fällt der Streit ein, den er im Flur bei Melchers gehört hatte.

»Nora mag diese Franziska nicht.«

»*Nicht mögen?*« Bertram beugt sich zu Hanno. »Nora *hasst* Franziska Gehlen, haben meine Eltern gesagt. Das alles muss wohl auch für Herrn Melcher ziemlich schwierig sein.«

»Warum hasst Nora sie?«

»Keine Ahnung.«

Schummi setzt seine gestrickte Mütze auf, singt *Morgen kommt der Weihnachtsmann*.

»Uns bleibt aber auch nichts erspart«, ruft Torsten. Ein paar andere singen mit.

»Noras Mutter ist doch schon lange tot, oder?« Hanno fasst Bertram am Arm.

»Ja, da war Nora in der Grundschule. Erst hat eine Bekannte jahrelang den Haushalt geführt, aber die ist dann in ein Altenheim gekommen.«

»Und woran ist Noras Mutter gestorben?«

»Sie ist eine Treppe hinuntergefallen und hat sich das Genick gebrochen. Weißt du das nicht?«

»Nein.« Hanno denkt nach. »Zu Hause?«

»Ja.«

Hanno rührt in seinem Milchkaffee. Der weiße Schaum zieht Kreise, in denen die hellbraune Flüssigkeit immer wieder auftaucht und versinkt.

Nora im gelben Kleid vorne neben der Tafel.

Nora mit den langen schwarzen Zöpfen.

Nora, die sich auf dem blauen Bild an ihre Mutter lehnt.

Und diese Frau ist im eigenen Haus die Treppe hinuntergestürzt und hat sich das Genick gebrochen.

War sie auf der Stelle tot? Und wer wird sie wohl gefunden haben? Melcher? Noras Brüder? Oder etwa Nora? Nora selber?

Da bleibt die Zeit stehen, wenn so etwas geschieht.

Wenn die eigene Mutter … Hanno schiebt den Gedanken weit weg.

Er sieht zu den Spieltischen hinüber.

Nora ohne Mutter. So viele Jahre schon.

Schummis Singsang geht in wildes Gegröle über.

»Wenn du so weitermachst, drehen die hier die Musik ab«, sagt Lohmann. Torsten holt einen Lederbecher mit Würfeln. »Los, spielen wir ein paar Runden«, sagt er und stellt den Becher mitten auf den Tisch.

Hanno würfelt mit, aber er ist nicht bei der Sache. Immer wieder schweifen seine Gedanken zu Melchers Haus mit der beklemmenden Atmosphäre.

Schließlich gibt er sich einen Ruck.

Nein, Nora Melchers Welt geht Hanno nichts an.

Nora hat Hanno selbst hinausgeworfen.

Das war deutlich.

Das saß.

Hannos Schultermuskeln spannen sich und verhärten sich um seinen Nacken wie ein Schildkrötenpanzer.

Er würfelt und würfelt.

Auf dem Rückweg zur Schule zieht Maren Hanno zur Seite.

»Nora geht's saumäßig dreckig«, flüstert sie, »die

ist in einer Clique, in der gekifft wird, und die Leute da ziehen sie immer tiefer mit rein.«

»Na und«, sagt Hanno.

»Hör mal, du magst Nora doch. Sprich doch mal mit ihr.«

»Ich bin doch nicht bescheuert.«

Hanno beschleunigt seinen Schritt, doch Maren läuft hinter ihm her.

»Die treffen sich oft am Kiosk, weißt du, in der Nähe vom Hönepark. Die trinken Bier und Whisky und was weiß ich. Nora steckt da richtig tief drin.«

Hanno stoppt.

»Ich will dir mal was sagen, Maren. Deine Nora geht mich nichts mehr an. Gar nichts mehr.«

Hanno lässt Maren stehen, schiebt sich mit seinem Schildkrötenpanzer zwischen Bertram und Schummi und lacht gellend, weil Schummi erzählt, dass er als kleiner Junge dem Weihnachtsmann seinen jüngeren Bruder schenken wollte.

Am Nachmittag, als Hanno an seinem Schreibtisch sitzt, flirren seine Gedanken durch die Stadt.

Melchers Haus.

Der Schulhof.

Der Fahrradständer.

Das Museum.

Die Werkstatt.

Der Kiosk am Hönepark.

Der Klassenraum.

Hin und her flirren Hannos Gedanken.

Er legt eine CD nach der anderen auf, dröhnt sich voll mit Bässen, mit Rhythmen.

Dann gibt er sich klare Befehle:

Nicht an Nora denken.

Nicht überlegen, mit welchen Leuten sie zusammen ist.

Nicht die Amsel am Kiosk vor das innere Auge scannen.

Hanno steht auf.

Hanno legt mit Max ein Katzenpuzzle.

Hanno gießt seine Kakteen.

Hanno sortiert seine CDs.

Hanno mailt an einen Brieffreund in Bremen und chattet im Internet.

Plötzlich klickt er sich aus dem Computer, springt auf und schreit durch die Wohnung: »Ich muss noch mal weg. Bin gleich zurück.«

Hanno schnappt seine Wetterjacke, holt sein Fahrrad unten aus dem Hausflur und radelt durch die Abenddämmerung zum Hönepark.

Fest tritt er in die Pedale.

Am Kiosk, auf der Straßenseite gegenüber dem Parkgitter, leuchtet weiß-rote Reklame. Kleine Fahnen wehen links und rechts der Tür.

Auf der Bank neben dem Kiosk sitzen Leute. Ein Junge lehnt an der Kioskwand.

Hanno radelt geradeaus, die Augen stur nach vorne gerichtet, als interessierten ihn der Kiosk und die Menschen nicht, als sei er eilig irgendwohin unterwegs.

Er biegt in den Hönepark ein.

Dort steigt er ab und schiebt sein Rad über die knirschenden Kieswege. Dabei suchen seine Augen durch das Astgewirr der Rhododendren und Taxusbüsche hindurch nach dem Kiosk.

Da! Hanno hält an.

Deutlich kann er einen Mann und eine junge Frau erkennen, die auf der Bank am Kiosk sitzen. Neben dem Mann sitzt ein Mädchen in einem schwarzen Mantel und lehnt sich an dessen Schulter.

Angestrengt späht Hanno durch die Büsche.

Es ist Nora.

Sie beugt sich vor und reicht dem Jungen an der Kioskwand eine Flasche. Hannos Augen ziehen sich zu Schlitzen zusammen.

Der Mann legt einen Arm um Noras Schultern.

Hinter Hanno knirscht der Kiesweg und zwei Frauen gehen an seinem Rücken vorbei.

Auf der Straße knattert ein Lieferwagen.

Dann ist es still.

Fremd ist die Welt. Fremd und unheimlich.

Hanno spürt, dass seine Hände am Lenker kalt werden.

Er wendet sein Rad und schiebt es zum Eingangstor zurück, langsam und mit vorgewölbter Unterlippe.

Was sollte nun diese Tour?

Was hat er nun davon, dass er heimlich in Noras Leben herumspioniert?

Was hat er davon außer seinen brennenden Augen und einem faden Geschmack im Mund?

Hanno stellt sich unter den harten Strahl der Dusche.

Er spürt das Wasser auf seinem Kopf und seinem Körper und schließt die Augen.

Hilfe!, schreit Nora. Hilfe! Ich ertrinke! Sie treibt im eiskalten Eifelfluss, klammert sich an Schilf, an Ufergras, wird weitergezogen vom gurgelnden Wasser, schabt die Haut an Steinen auf, geht unter, taucht auf, schnappt nach Luft, schreit. Und Hanno rennt am Ufer entlang, redet auf Nora ein und hält Stöcke ins Wasser, an denen sie sich festhalten könnte, doch Nora hört Hanno nicht. Sie hört nur das Wasser um sich herum und ihr eigenes Schreien.

Wach auf, Hanno!

Hanno schüttelt sich wie ein nasser Hund und seift sich ein.

Sollen sich doch all ihre Superfreunde um Nora kümmern.

Sollen die doch alle zum Kiosk fahren und Nora wegholen.

Einfach am Ärmel packen und wegholen von diesen Leuten, von den Flaschen, weg aus diesem miesen Film.

Hanno nimmt ein weiches Handtuch, hüllt sich einen Moment lang darin ein und trocknet sich ab. Sorgfältig spült er den Duschschaum in den Abfluss. Tief unten in der Kanalisation treiben die Fetzen seines Liebesbriefes. Eine grüne, aufgeweichte Masse. Oder sind sie längst von Chemikalien zersetzt?

8

In den kommenden Tagen hagelt es Klassenarbeiten.

»Wieder mal alles zur gleichen Zeit«, schimpft Schummi, »kaum hab ich Matheformeln im Kopf, werden die von Englischvokabeln klein gemacht. Und dann noch der Stress mit den Weihnachtsvorbereitungen!«

»Du tust mir aber Leid«, sagt Lohmann, »wie viele Sorten Plätzchen hast du denn schon gebacken?«

Hanno arbeitet ruhig und sorgfältig. Die Ameisen sind ausgewandert und die Unruhe hat er tief in sich vergraben. Mit festem Willen.

Am Samstag fährt Hanno frühmorgens mit dem Linienbus zu Bertram.

Seinen Rucksack zwischen die Füße geklemmt, hängt er entspannt auf einem Fensterplatz und lässt die winterliche Eifellandschaft an sich vorüberziehen. Felder, die aussehen, als seien sie mit weißen Spannbettlaken bezogen, schwarze Gatter, graue Schlangenwege und immer wieder Krähenschwärme in der hellen, kalten Luft.

Bertram hat schon auf Hanno gewartet. In seinem Zimmer installieren sie zusammen Bertrams neue CD-Anlage. Als Bertram Getränke holt, beobachtet Hanno die Fische in Bertrams Aquarium. Schillernde Guppys, Platys und rote Salmler, die ihre Bahnen ziehen oder ab und zu an Algen lutschen.

Hanno lässt Fischfutter in das Becken rieseln. Es trudelt im Wasser, wird von Sauerstoffbläschen aufgetrieben und sinkt zum Grund.

Auf dem Spaziergang durch die Felder knirscht der gefrorene Boden unter den Schuhen.

Bertram und Hanno gehen im Gleichschritt nebeneinander den steilen Weg hinunter am Bach entlang.

Im verschneiten Tannenwald ist es still.

Die tief hängenden Zweige tragen schwere Last.

Bertram stößt Hanno an.

»Was ich dich mal fragen wollte ...«, beginnt er und schmiedet Pläne für den Sommer. Einen Englandaufenthalt zusammen mit Hanno? Eine Sprachreise? Nach Eastbourne vielleicht? Nach London?

Hanno hört zu, ist einverstanden. Er genießt es, sich Monate voraus in die Zukunft treiben zu lassen.

Die Bohlen der Holzbrücke sind von glitschiger Nässe überzogen.

»Hier kannst du dich voll hinlegen«, warnt Bertram.

Beide lehnen sich ans Brückengeländer und schauen über den Fluss.

Zur linken Seite ruht der feucht glänzende Rücken des Bunkers.

Abweisend und verschlossen.

»Wo habt ihr Nora damals eigentlich gefunden?« Bertrams Frage sticht in die Stille.

Hanno zuckt zusammen.

Er runzelt die Stirn und stopft die Hände in die Jackentaschen.

Bertram weist zum Bunker hinüber.

»Schummi hat erzählt, dass sie in den Felsen gesessen hat. Da hinten bei den Schieferfelsen. War das da?«

Nora unter dem Felsvorsprung.

In der Dunkelheit.

Zitternd vor Kälte.

Zugeknallt mit Alkohol.

»Warum ist Nora eigentlich nicht mit Anna und Stine gegangen? Warum ist sie dageblieben? Hat sie auf euch gewartet?« Bertram kratzt mit dem Fingernagel am dünnen Eis auf dem Holzgeländer, schiebt kleine Schichten hoch.

Hör auf, Bertram!

Hör auf mit deinen verdammten Fragen!

»Weiß nicht mehr so genau.«

Hanno dreht sich um und steigt die Holzstufen hinab.

Bertram folgt ihm nach.

Schweigend gehen die beiden auf dem Waldweg zurück.

»War eine blöde Situation für euch alle«, sagt Bertram.

Hanno nickt. Einen Moment überlegt er, ob er dem Bär neben sich die ganze Sache mit Nora erzählen und sich einfach alles von der Seele reden soll, aber dann wäre dieser leichte, dieser freie Tag verdorben. Dann wäre Hanno wieder verstrickt in seine Gefühle.

Nein!

Hanno rennt los. Bertram rennt hinter ihm her.

Keuchend laufen sie nebeneinander die Feldwege entlang.

»Eastbourne ... find ich ... irgendwie besser«, stößt Hanno hervor.

»Warum?«

»Der Ort ist irgendwie ... kleiner und liegt ... direkt am Meer.«

Bertram bleibt auf dem offenen Feld stehen und stemmt die Hände in die Seiten. Er beugt den Oberkörper vor und zurück.

»Ist mir egal«, sagt er, »Hauptsache, mal weg von hier und was Neues sehen.«

Hanno trippelt auf und ab, schwingt die Beine nach rechts, nach links.

»Genau! Hauptsache, einfach mal weg von hier.«

»Ein Mädchen aus deiner Klasse hat angerufen«, wird Hanno von seiner Mutter nach dem Volleyballtraining empfangen.

»Wer denn?«

»Maren Irgendwas. Du sollst zurückrufen.«

Hanno lässt sich Zeit, stopft die Trainingssachen in den Wäschekorb, stellt die Trainingsschuhe in den Schuhschrank, trinkt mehrere Gläser Mineralwasser, liest in der Fernsehzeitung, greift schließlich zum Telefonbuch und sucht Marens Telefonnummer heraus.

Maren ist gleich am Apparat.

»Maren Schmitt.«

»Hier ist Hanno. Was gibt's?«

»Hör mal, Hanno, Nora ist nach der Schule nicht nach Hause gekommen. Ihr Vater hat vorhin bei mir angerufen, aber ich weiß auch nicht, wo sie sein kann. Hast du eine Idee?«

»Nö.«

»Mensch, Hanno, hör mal, die ist doch in dieser

bescheuerten Clique. Sollen wir nicht mal zum Kiosk fahren?«

»Wieso wir?«

»Weil ich ... ja ... irgendwie hab ich Bammel alleine.«

»Ich hab dir schon mal gesagt, dass Nora mich nichts mehr angeht.«

»Mensch, Hanno.«

»Nora wollte das so.«

»Ja, aber ...«

»Ich muss Englisch machen.«

Hanno legt den Hörer auf.

Das wäre ja noch schöner, wenn er jetzt die ganze Stadt nach Nora absuchen würde, und die säße gerade bei irgendeinem Lover auf dem Schoß.

Hanno lässt sich an seinem Schreibtisch nieder und zieht die Englischsachen aus dem Rucksack. Außerdem ist er nicht Noras Kindermädchen. Er öffnet sein Vokabelheft, schraubt seinen Füller auf und schreibt Vokabeln ab. Links auf Englisch. Rechts auf Deutsch.

Abends sieht Hanno fern.

Er hält Max auf dem Schoß und Max hält Opabär auf dem Schoß.

Werbung und Sandmännchen.

Das Telefon klingelt.

»Geh du ran, Hanno!«, ruft sein Vater.

Hanno setzt Max auf den Boden, schnappt sich den Apparat und läuft damit in sein Zimmer.

»Hanno Schulz.«

»Abend, Hanno, hier Ludwig Melcher.«

Hannos Schildkrötenpanzer verhärtet sich, zieht seine Schultern zusammen.

Melcher spricht hastig.

»Nora ist nach der Schule nicht nach Hause gekommen. Ich … wir haben keine Ahnung, wo sie steckt.«

Hanno setzt sich auf den Rand seines Bettes.

»Ich weiß auch nicht …«

»Wir dachten, dass du vielleicht …«

»Nein, ich weiß auch nicht …«

Schweigen.

»Hast du nicht irgendeine Ahnung, wo sie sein kann?«

»Vielleicht beim Karatetraining?«

»Nein, nein.«

»Oder bei irgendwem aus der Klasse?«

»Nein.«

Hanno räuspert sich.

»Vielleicht bei den Leuten am Kiosk …«, sagt er.

Jetzt auch noch petzen. Jetzt auch noch petzen müssen.

»Bei welchen Leuten?«

»Nora ist da in so einer Clique ...«

»Davon wissen wir. Meine Frau ist da hingefahren, aber da war niemand.«

Schweigen.

»Nora ist zurzeit nicht gut drauf, aber sie ist nach der Schule immer nach Hause gekommen.« Melchers Stimme klingt müde. »Dann schalten wir eben die Polizei ein.«

Hanno kommt sich vor wie in einem schlechten Traum.

Alles ist so unwirklich, so dumpf.

»Ja«, sagt er, »klar«, und drückt auf den Ausknopf des Telefons.

Unruhig läuft er in seinem Zimmer auf und ab.

Vom Bett zum Fenster. Vom Fenster zum Regal. Vom Regal zum Schreibtisch. Vom Schreibtisch zum Bett.

Na und? Nora wird schon irgendwo sein.

Nachher hat sie sich 'nen schönen Nachmittag in Köln gemacht.

Haha. Alle machen sich hier verrückt und Nora Melcher ist auf dem Weihnachtsmarkt in Köln. Einfach so. Haha.

Aber das alles glaubt sich Hanno selbst nicht.

Er läuft in den Flur.

Max' Stimme ertönt aus dem Wohnzimmer.

»Kommst du wieder, Hanno? Kommst du Fernseh gucken?«

»Ich muss noch mal in die Stadt. Bin gleich wieder da!«

Hanno zieht seine Jacke an, holt sein Fahrrad aus dem Hausflur und rast durch die abendlichen Straßen.

Am Kiosk leuchtet rot-weiße Reklame und die kleinen Fahnen wehen im Wind.

Die Bank neben dem Kiosk ist leer.

Hanno stellt sein Rad ab, geht unschlüssig zur Bank und schaut unter den Sitz, als läge dort eine Adresse, ein Zettel mit einem Hinweis, wo Nora steckt. Doch der Wind hat nur Kaugummipapier und Papiertaschentücher unter die Bank geschoben und raschelt damit in den Ecken.

Hanno richtet sich auf und sieht zum Hönepark hinüber.

Er kann doch nicht hinter jedem Busch, hinter jedem Baum nachsehen, ob Nora sich dort versteckt hält.

Auf der anderen Seite des Parks ragt das Krankenhaus auf wie ein hell erleuchteter Setzkasten. Vielleicht ist Nora dort? Aber warum?

Außerdem hätte man Melcher längst Bescheid gegeben.

Hanno zieht den Reißverschluss seiner Jacke bis zum Kinn.

Er geht zu seinem Fahrrad zurück, verlässt die leere Bank und den stillen Park mit seinen Eisengittern.

Gegen dreiundzwanzig Uhr legt sich Hanno ins Bett, doch er kann nicht einschlafen.

Soll er noch mal bei Melchers anrufen und fragen, ob Nora wieder aufgetaucht ist? Nein!

Oder soll er bei Maren anrufen? Nachts um elf? Nein!

Hanno prüft seinen Wecker, stellt ihn zurück auf den Nachttisch.

Morgen früh wird Nora in die Klasse kommen, wird von irgendeiner Übernachtung bei Bekannten faseln und lachen und dann ist alles wie immer. Maren wird zwar sagen: *Hör mal, wir haben uns solche Sorgen um dich gemacht!* Aber Nora wird nur mit den Schultern zucken und *Na und?* sagen nach dem Motto: *Das ist euer Problem. Das geht mich doch nichts an.*

Und Hanno ist vorhin extra zum Park gefahren und schlägt sich jetzt die Nacht um die Ohren.

Der liebe Hanno, der brave Junge.

Nein, Nora Melcher. Diese Zeiten sind vorbei!

Hanno dreht sich zur Wand und schließt die Augen. Er fällt in einen unruhigen Schlaf.

Irgendwann, als er gerade im Traum mit Bertram eine Felswand besteigt, hört er ein gellendes Geräusch.

Verwirrt fährt Hanno hoch und reibt sich die Augen.

Er knipst die Nachttischlampe an. Sein Wecker zeigt kurz nach Mitternacht.

Wieder klingelt etwas auf seinem Schreibtisch.

Das Telefon!

Hanno springt aus dem Bett, nimmt den Apparat und drückt auf Empfang.

»Ja?«, krächzt er heiser.

»Hanno? Hier ist Nora.« Zögernde, leise Stimme.

»Nora? Wo bist du?«

Schweigen.

Hanno stößt gegen den Sessel, wirft sich auf sein Bett.

»Wo bist du?« Er schreit.

»Am Bahnhof.«

»Am Hauptbahnhof? Am Westbahnhof?«

»Westbahnhof.«

Hanno hält den Hörer mit beiden Händen fest.

»Bleib da«, sagt er, »bleib da, wo du bist!«

»Ich will ja nach Hause, aber …«

»Aber?«

»Ich … ich trau mich nicht.«

Jetzt ganz vorsichtig sein, Hanno! Ganz vorsichtig, sonst ist der Vogel weggeflogen.

»Soll ich … soll ich dich holen kommen?«

Schweigen.

»Soll ich zum Bahnhof kommen?«

Schweigen.

»Nora?«

»Ja.« Piepsstimmchen, kaum verständlich.

»Bleib, wo du bist, okay, ich komme sofort, okay?«

»Ja.«

Hanno will die Austaste drücken, presst den Apparat noch mal an sein Ohr.

»Wo treffen wir uns denn?«

Schweigen.

»Nora? Nora!«

Aufgelegt.

Jetzt ganz ruhig, Hanno. Eins nach dem anderen.

In die Klamotten steigen.

Melcher anrufen. Um diese Zeit? Na klar. Da kann doch bestimmt keiner schlafen.

Gleich nach dem ersten Rufzeichen wird der Hörer abgenommen.

»Franziska Melcher.«

»Hier Hanno. Nora hat angerufen. Sie ist am Westbahnhof. Ich hole sie dort ab.«

»Wirklich? Danke! Vielen Dank!«

Den Eltern Bescheid sagen. Die schlafen. Zettel schreiben und auf den Küchentisch legen. Haustürschlüssel in die Jackentasche stecken. Fahrrad aus dem Hausflur holen. Auf dem schnellsten Weg zum Bahnhof rasen.

9

Außer Atem stellt Hanno sein Rad an den Quadersteinen des Bahnhofsgebäudes ab. Prüfend sieht er sich auf dem dunklen Vorplatz um.

Nein, hier ist Nora nicht. Nur zwei Taxen warten auf der linken Seite und eine Bronzefigur verharrt beim Brunnenbecken.

Hanno rennt in die Eingangshalle.

Blitzschnell schweifen seine Augen umher. Vier Jugendliche mit Rucksäcken. Ein Mann in einem grünen Jägermantel. Sonst niemand.

Hinter Hanno wird die Glastür geöffnet und zwei Polizisten mit Schäferhunden betreten die Halle.

Hanno rennt zum Blumenstand, vom Blumenstand zu den Toilettentüren. Dort stinkt es nach Urin, nach Putzmitteln.

Wenn er doch bloß einen Treffpunkt mit Nora ausgemacht hätte!

So ein Mist!

Und wenn sie jetzt in irgendeinen Zug gestiegen und weggefahren ist?

Irgendwohin.

Hanno steht mitten in der zugigen Halle.

Soll er die Bahnsteige ablaufen?

Oder Melcher anrufen? Vielleicht ist Franziska Melcher mit dem Auto gekommen und hat Nora längst abgeholt?

Hannos Blick fällt in die linke Ecke der Halle.

Dort kauert jemand auf dem Boden.

In einem schwarzen Mantel.

»Nora!«

Als Hanno Nora anspricht, hebt sie langsam den Kopf.

Hanno hockt sich vor Nora auf den Boden.

»Hey, da bist du ja«, flüstert er.

Nora nickt.

»Da bin ich ja«, sagt sie. Spricht leise und mehr zu sich selbst, als sei sie über sich verwundert. Ihr Gesicht wirkt zerbrechlich und ernst.

Vorsichtig fasst Hanno Noras Arm.

»Kannst du aufstehen?«

Nora nickt und erhebt sich. Sie taumelt, riecht nach Bier.

Erschöpft lehnt sie sich gegen die graue Kachelwand.

»Hast du was zu essen?«

»Nee.« Hanno wühlt in seinen Taschen. »Doch!«

Er zieht ein Eukalyptusbonbon hervor, wickelt es aus dem Papier und gibt es Nora.

»Wann hast du denn zuletzt was gegessen?«

»Heute Morgen.«

Im Lautsprecher über den Toilettentüren knackt es. Eine Männerstimme schallt durch die Halle.

Nora lehnt mit hängenden Armen an der Wand und schaut zu Boden.

Hanno zerfetzt in seiner Manteltasche Papierta-schentücher.

So stehen die beiden eine Weile stumm.

Schließlich zieht Hanno die Hand aus seiner Tasche.

»Willst du ... soll ich dich nach Hause bringen?«

Donnernd rollt ein Zug auf einem Bahnsteig ein und lässt den Boden, die Scheiben und Menschen vibrieren.

Nora zögert.

»Ja.«

Hanno und Nora verlassen die Bahnhofshalle, überqueren den Vorplatz und gehen durch die nächt-lichen Straßen.

Nora hat ihre Hände tief in den Taschen ihres Mantels vergraben.

Hanno schiebt sein Rad.

In seinem Kopf spielen Sätze miteinander Versteck, fangen sich ein und löschen sich aus.

Warum bist du abgehauen?

Gut, dass du wieder da bist!

Hör doch auf mit der Clique am Kiosk.

Warum hast du gerade mich angerufen? Warum gerade mich?

Hanno kann nichts sagen, gar nichts.

Wortlos gehen die beiden nebeneinander her.

Als sich ihre Schultern berühren, spürt Hanno, dass Nora zittert.

Mitten auf der Brücke, die über die Gleise der Eisenbahnanlage führt, bleibt Nora stehen.

Tief unter ihr blitzen die Lichter der Zugsignale. Grün und rot.

Nora weint los. Heftig und unaufhaltsam.

Es ist, als strömten all die Tränen, die sich in ihr angestaut haben, in einem Schwall aus ihr heraus.

Sie sagt etwas, das Hanno nicht verstehen kann.

»Was?«

»Ich hab ... Scheiß gebaut. Ich hab ... was Blödes gemacht.«

Hanno wühlt in seiner Jacke nach Taschentüchern, zieht Papierfetzen hervor und reicht sie Nora. Sie schnäuzt sich die Nase.

Hanno tritt von einem Fuß auf den anderen.

»Ich hab ... ich hab das Bild kaputtgemacht. Das blaue Bild bei meinem Vater im Zimmer.«

Ein Bild kaputtgemacht?

Nur ein Bild kaputtgemacht?

»Das ist doch nicht schlimm«, sagt Hanno, »ist doch echt nicht schlimm.«

Nora wischt sich mit dem Ärmel über ihr Gesicht.

»Außerdem ist dein Vater doch Restaurator. Der kann das bestens restaurieren.«

Nora schüttelt den Kopf.

Hanno blickt über die Schienenanlage.

Irgendwie kommt ihm die ganze Situation ziemlich lächerlich vor.

Klar, das Bild war ein wichtiges Bild, weil Noras Mutter es gemalt hat, aber das kann ja wohl kaputtgehen. Das ist doch kein Grund zum abhauen.

Klar, da wächst in Hanno die Frage *warum?*, aber die schiebt Hanno zur Seite. Die würde ihn wieder zu sehr mit Noras Welt vernetzen.

»Das blaue Bild hat meine Mutter gemalt, in Finnland, als wir im Urlaub waren. Damals ... stimmte noch alles. Da waren wir noch eine Familie, aber heute ...«

Nora reibt die Papierfetzen unter ihrer Nase hin und her.

»Heute ist alles kaputt bei uns. Mein Vater sagt nix und Franziska mischt sich in alles ein und jetzt haben die ...«

Nora kickt mit ihrem Stiefel gegen das Geländer.

»Jetzt haben die geheiratet, verstehst du, und ... und die ist so ganz anders als ...«

Dieser Satz bricht aus Nora heraus und wieder weint sie laut los.

Wie ein gequältes Tier.

»Nora«, sagt Hanno, »vielleicht ... vielleicht ist Franziska ja doch ganz in Ordnung.«

»Die? Die spioniert mir hinterher! Die liest in meinen Briefen und kontrolliert, mit wem ich mich treffe.«

Ein Güterzug fährt in den Bahnhof ein. Gleichmäßig rattern die Räder über die Schienen.

» ... die nicht!«, schreit Nora in den Lärm der Waggons.

»Waaaas?«, schreit Hanno.

»Ich will die nicht!«, schreit Nora zurück.

Sie stopft ihre Hände in ihre Manteltaschen und geht hastig weiter.

Zwischen den Häusern wird es wärmer und still.

»Franziska hat dich heute den ganzen Tag gesucht«, sagt Hanno, »und dein Vater ist fix und fertig, weil du weg warst.«

Nora antwortet nicht.

Nach einer Weile geht sie langsamer, taumelt von einem Bein auf das andere.

126

Hanno hält an.

»Soll ich dich aufs Fahrrad nehmen?«

Nora nickt.

Hanno steigt auf sein Rad und Nora rutscht seitlich auf den Gepäckträger.

Von hinten schlingt sie beide Arme um Hanno und Hanno radelt los.

Er fährt durch die dunkle Stadt, den Nachtwind im Gesicht.

Er spürt Noras Wärme, spürt, wie ihr Körper immer schwerer wird, immer weicher.

Hanno fährt durch die Nacht mit der schlafenden Nora an seinem Rücken und wagt nicht, glücklich zu sein.

In der Weberstraße brennen vereinzelt Straßenlaternen zwischen den Bäumen. In allen Häusern sind die Lichter gelöscht, nur Melchers Haus ist erleuchtet.

Hanno biegt in die Einfahrt ein und bremst sein Rad vorsichtig neben den Steinstufen. Wie ein schwerer Sack hängt Nora an seinem Rücken.

Hanno richtet sich auf.

»Nora«, sagt er, »wir sind da.«

Nora rührt sich nicht.

»Hey, Nora«, sagt Hanno und schüttelt sie, damit Nora wach wird.

Nora rührt sich nicht.

»Ey, Nora!«, sagt Hanno laut und stößt mit seinem Rücken kräftig nach hinten. Wieder und wieder.

Nora bewegt sich. Sie spannt ihren Körper und dehnt ihre Beine wie eine Katze. Dann steigt sie vom Gepäckträger.

»Wir sind da«, sagt Hanno.

»Nein.«

»Los, komm! Die warten auf dich.«

Hanno schiebt Nora die Stufen hinauf und klingelt. Sogleich wird die Haustür aufgerissen und der Hund springt jaulend heraus.

Melcher zieht Nora am Mantelärmel in den Flur.

»Mädchen«, sagt er leise, »mein Mädchen.«

Dann nimmt er Nora in seine Arme und hält sie lange fest.

Franziska Melcher und Noras Brüder stehen hinten im Flur regungslos wie Kegelfiguren.

Hanno ist unentschlossen. Was soll er noch hier?

Nach einer Weile lässt Melcher Nora los, hilft ihr aus dem Mantel und hängt ihn an die Garderobe.

Nun kommen auch Franziska Melcher und Noras Brüder näher. Keiner weiß so recht, was er sagen soll.

»Gut, dass du wieder da bist«, bricht einer der Brüder das Schweigen und pufft Nora leicht an den Arm.

»Ja«, sagt Nora. Schmal und ernst steht sie neben der Standuhr, mit rot verweinten Augen und zerzausten Antennen.

Melcher öffnet die Tür zu seinem Arbeitszimmer.

»Kommt rein«, sagt er.

Nora dreht kurz den Kopf zu Franziska.

Im Arbeitszimmer riecht es ungelüftet. Alle Rollläden sind heruntergelassen.

Melcher knipst die Arbeitslampe auf seinem Schreibtisch an.

Hanno will nicht zu der Stelle sehen, an der das blaue Bild gehangen hat, aber er muss hinsehen. Auf der weißen Wand hat sich dort ein helles Rechteck abgezeichnet. Auf dem Boden liegen keine Leinwandreste.

Hanno sieht, wie Nora ebenfalls zur Wand blickt.

»Tut mit Leid, das mit dem Bild von … von Mama«, stammelt sie.

»Da sprechen wir ein andermal drüber«, sagt Melcher, »jetzt sind wir erst mal froh, dass du wieder da bist.«

Über Noras verweintes Gesicht gleitet ein Leuchten.

Sie sieht Melcher an, dann Franziska, dann Hanno.

»Ich geh jetzt«, sagt Hanno.

Nora kommt auf ihn zu. »Danke.«

»Ja, vielen Dank, Hanno«, sagt auch Melcher.

Hanno sieht, dass Franziska Melcher Tränen in den Augen hat.

»Ich finde alleine raus«, sagt er, aber Melcher begleitet ihn zur Haustür.

»Wir sehen uns«, sagt Melcher und reicht Hanno die Hand.

»Klar.« Hanno läuft die Steinstufen hinab und nimmt sein Fahrrad.

Wir sehen uns.

Warum? Und wann?

Oder meint Melcher, dass Hanno mal wieder ins Museum kommen soll?

Hanno wirft einen Blick zum Nachthimmel.

Wie lange ist es schon her, dass er im Museum war.

Und der Johannes? Wo mag der jetzt sein?

Hanno biegt um eine Straßenecke.

Seine rechte Hand fasst an den leeren Gepäckträger.

Warum hatte Nora ausgerechnet bei ihm angerufen?

Warum nicht bei Schummi oder Maren oder Bertram?

Hanno lächelt versonnen vor sich hin, doch plötzlich schmilzt sein Lächeln.

Vielleicht hatte sie zuvor schon bei anderen angerufen?

Vielleicht hatte niemand außer Hanno das Telefon gehört?

Wer achtet denn auch schon nachts auf das Klingeln?

Hanno spuckt auf die Straße.

Na klar, Nora Melcher, da war mal wieder der liebe Hanno parat.

Na klar, so ist das gewesen!

Er war gar nicht gemeint!

Hanno atmet schwer.

Er schiebt das Rad unten in den Hausflur, schließt die Wohnungstür auf und wirft sich angezogen auf sein Bett.

Kurz nach drei Uhr.

Hanno zieht seine Bettdecke über sich, hüllt sich darin ein wie in einen Schildkrötenpanzer und zieht die Beine an die Brust. Er weint.

10

»Ich trau mich gar nicht, bei Melchers anzurufen«, jammert Maren am nächsten Morgen vor der ersten Stunde, »die wollten ja gestern Abend sogar die Polizei einschalten.«

»Wer weiß, was der hübschen Lady in den Sinn gekommen ist«, meint Schummi, »vielleicht macht sie gerade eine Weltreise.«

»Behalte deine dummen Sprüche für dich, du nervst!«, fährt Bertram ihn an.

Hanno geht zu seinem Platz. Er holt die Mathematiksachen aus seinem Rucksack und legt sie auf den Tisch.

»Nora ist wieder zu Hause«, sagt er.

»Was?« Maren springt auf. »Nora ist zu Hause?«

»Ja«, sagt Hanno.

»Woher weißt du das denn?«, ruft Schummi Hanno zu.

»Ich habe sie heute Nacht am Westbahnhof abgeholt und nach Hause gebracht.«

»Duuu?«

Auf einmal stehen alle um Hanno herum und reden auf ihn ein.

»Lasst mich in Ruhe, Leute. Ich bin todmüde. Jedenfalls ist Nora wieder zu Hause.«

Hanno setzt sich auf seinen Stuhl.

Kein bisschen Heldenstolz in seiner Brust, eher Ausgelaugtsein.

Ist ihm doch völlig egal, was die anderen sich nun in ihrer blühenden Fantasie vorstellen.

Sollen sie sich doch ausmalen, dass Nora und Hanno nachts in einer Kutsche durch die Stadt gefahren sind. Strahlend und verliebt.

Hanno weiß es besser: Er war eine Notlösung für Nora.

Eine schnelle Notlösung. Mehr nicht.

»Ich fahre gleich nach der Schule zu Nora!«, ruft Maren.

»Lass die doch erst mal ausschlafen«, meint Bertram.

»Außerdem wirst du dort auch Hanno treffen«, sagt Schummi.

»Wir können ja zusammen hinfahren«, schlägt Maren Hanno vor.

Der verzieht nur spöttisch den Mund.

»Ich habe was anderes zu tun«, sagt er.

Gleich nach der Schule wieder zu Nora fahren!

Das soll ja wohl ein Witz sein!

An diesem Morgen beteiligt Hanno sich konzentriert an den Unterrichtsstunden.

Kein längerer Gedanke geht in die Weberstraße, höchstens ein kurzes Erinnern an die vergangene Nacht, als Bertram ihm im Unterricht zuraunt: »Hat Nora dich wirklich vom Bahnhof aus angerufen und du hast sie dort abgeholt?«

»Ja«, antwortet Hanno knapp und unterstreicht einen Merksatz in Mathematik, mit Lineal und millimetergenau.

Als Hanno mittags nach Hause kommt, liegt eine große Schachtel Schweizer Schokolade neben seinem Teller. Dazu eine bunte Karte mit den Worten: *Nochmals herzlichen Dank, Ludwig und Franziska Melcher.*

Kein Gruß von Nora.

Ist ja klar.

»Die ist ja ganz nett, die neue Frau Melcher. Sie hat die Schokolade für dich vorbeigebracht«, sagt Hannos Mutter.

Hanno lädt Kartoffeln auf seinen Teller.

»Ist ja auch ziemlich mutig von ihr, in so eine fertige Familie hineinzuheiraten«, meint seine Mutter, »sie ist ja schließlich noch sehr jung.«

»Schon einunddreißig.«

»Immerhin. Melcher ist bestimmt schon um die Fünfzig.«

»Zweiundfünfzig.«

»Und Nora? Wie kommt sie wohl mit der neuen Mutter zurecht?«

Nerviges Gespräch! Absolut nervig!

Hanno schiebt sich ein großes Kartoffelstück in den Mund. Dazu jede Menge Bohnen.

»Weiß ich doch nich«, nuschelt er.

»Ist ja merkwürdig, dass Nora gestern Nacht ausgerechnet dich angerufen hat«, überlegt Hannos Mutter weiter.

Wenn sie noch lange redet, muss Hanno aufs Klo.

»Hat Nora denn keine Freundin?«

Hanno verschluckt sich, hustet und rennt zum Wasserhahn.

Hastig trinkt er einen großen Schluck Wasser.

Dann dreht er sich zu seiner Mutter um.

»Nora hat mich angerufen, weil sie sonst keinen erreicht hat. Welcher Idiot außer mir hört auch nachts das Telefon!«

»Da hat sie aber Glück gehabt, dass du erreichbar warst.«

»Kann ich jetzt weiteressen?«

Hanno setzt sich wieder vor seinen Teller und gießt Apfelsaft in sein Glas.

»Natürlich.«

»Danke.«

Nora fehlt in der Schule.

Es ist richtig erholsam im Unterricht, wenn Hanno nicht zur Linken ihren grünen Stachelkopf sehen muss. So kann er Nora gut vergessen.

Am Donnerstag kommt Maren zu Hannos Platz.

»Ich soll dich von Nora grüßen.«

»Danke.«

»Sie will wissen, wie es dir geht.«

»Wie es mir geht?«

»Ja.«

»Prima.«

»Soll ich ihr das sagen?«

»Natürlich.«

Maren geht zu ihrem Platz zurück.

Das ist ja reizend. Jetzt schickt die Dame schon eine Abgeordnete, anstatt selber bei Hanno anzurufen.

»Bei Nora war's gestern ganz gut«, sagt Bertram wenig später zu Hanno, »sie hat auch nach dir gefragt.«

»Was denn?«

»Wie es dir geht.«

»Und was hast du gesagt?«

136

»Gut.«

Hanno ist zufrieden. Ihm geht es gut. Das kann Nora ruhig wissen.

»Die malt ja echt geil«, sagt Bertram.

»Wer?«

»Nora. Die hat das ganze Zimmer voller selbst gemalter Bilder hängen.«

»Vielleicht sind die von ihrer Mutter.«

»Nein, die hat sie selbst gemalt.«

»Schön für Nora.«

»Schlechte Laune?«

»Nö.«

Abends erhält Hanno einen Anruf von Melcher.

»Hallo, Hanno. Ich habe heute eine mittelalterliche Skulptur nach Hause gebracht bekommen. Die soll ich untersuchen und ihren Wert schätzen. Hast du Lust, morgen Nachmittag zu uns zu kommen? Ich würde dir die Figur gerne zeigen.«

O nein!

Soll Hanno sich das antun, in Melchers Haus zu gehen und dort vielleicht auf Nora zu treffen? Bloß nicht!

Vielleicht schwirren da auch noch Tine und Anna und Schummi und wer weiß wer herum. Nein danke!

Hanno fährt sich mit der Linken durch seine Haare.

»Nora will dich auch sehen«, sagt Melcher.

Wie bitte? Das ist ja gnädig.

»Oder hast du keine Zeit?«

Mann, o Mann!

Los, Hanno, reiß dich zusammen! Schau dir die Figur an, schüttle Nora die Hand und dann ab durch die Mitte!

»Ich … ich kann kommen.«

»Schön. So gegen fünf bin ich zu Hause.«

»Gut.«

Hanno legt den Hörer auf.

Er geht in die Küche und schiebt sich einen Kaugummi in den Mund. Danach fährt er zum Volleyballtraining und geht anschließend mit Torsten nach Hause. Abends setzt er sich an den Computer, fällt todmüde ins Bett und steht am anderen Morgen rasch wieder auf. Er radelt zur Schule, schreibt einen Französischtest, untersucht in Biologie stummelflüglige Drosophilas, hört in Musik verschiedene Sätze aus einer Sinfonie von Beethoven, zeichnet in Mathe Parabeln und radelt nach Hause.

Dort isst er zu Mittag, kauft Obst ein, macht seine Hausaufgaben, räumt seinen Schreibtisch auf.

Immer schneller wird sein Tempo.

Immer sturer sein Blick.

Diese Hetzjagd dauert genau bis Viertel vor fünf.

Hanno stoppt vor dem Spiegel im Flur.

Völlig außer Atem und verschwitzt.

Hanno sieht Hanno.

Flackernd gleiten die Blicke von den breiten Turnschuhen über die dunkelblauen Jeans und das dunkelgrüne Sweatshirt bis zu den hektisch gefleckten Wangen und den zerzausten Haaren.

Beide Hannos atmen tief durch.

Alles klar?

Beide Hannos nicken sich zu.

Ab in die Weberstraße!

Hanno fährt durch die erleuchtete Stadt. An Straßenecken stehen Tannenbäume mit hellen Lichterketten. Menschen hasten voll bepackt mit Paketen und Einkaufstüten von Geschäft zu Geschäft. Aus einer Weihnachtsbude strömt der Duft nach gebrannten Mandeln.

In der Weberstraße verlangsamt Hanno seine Fahrt.

Er stellt sein Fahrrad neben der Steintreppe ab und klingelt an Melchers Wohnhaus. Ein kurzer Blick zur Fensterreihe im ersten Stock.

Melcher selbst öffnet die Tür.

»Komm rein! Es ist lausig kalt draußen.«

Im selben Moment schießt der Hund durch den Flur und springt kläffend an Hanno hoch.

»Ab, Zita!«, sagt Melcher streng.

Zita beschnuppert Hannos Schuhe. Dabei wedelt sie wild mit dem Schwanz.

Melcher geht in sein Arbeitszimmer.

Hanno hängt seine Jacke an einen Garderobenhaken und folgt Melcher. Er drückt den Hund mit dem Knie in den Flur zurück und schließt die Tür hinter sich.

»Nimm Platz!« Melcher weist auf graue Sessel, die um einen niedrigen Tisch stehen.

Er geht zu seinem Schreibtisch, nimmt einen in weiße Tücher gewickelten Gegenstand und legt ihn auf den Tisch. Dann setzt er sich Hanno gegenüber.

Hanno atmet den vertrauten Geruch nach Leder, Tabak und Büchern ein.

An der Wand zur rechten Seite ist immer noch das helle Rechteck zu erkennen.

Melcher ist wohl Hannos Blick gefolgt.

»Das Bild meiner Frau kann ich nicht mehr restaurieren«, sagt er. »Nora hat es so stark beschädigt, dass da nichts mehr zu machen ist.«

Seine Stimme klingt nüchtern und ernst.

»Nora hat es stark beschädigt?«

»Ja«, Melcher wirft Hanno einen raschen Blick zu, »... mit dem Küchenmesser.«

Das wusste Hanno gar nicht.

So ist das also gewesen: Nora hatte das Bild zerstört und war dann abgehauen. Mit dem Küchenmesser hatte sie es zerfetzt.

Und das alles wegen Franziska. Wegen Melcher und Franziska.

Hanno knotet die Finger ineinander.

Melcher streicht über die weißen Tücher.

»Schade, aber nicht zu ändern«, sagt er. »Nora muss in den letzten Wochen ziemlich durcheinander gewesen sein. Das hast du ja mitbekommen.«

Hanno klemmt noch immer vorne auf der Kante des Sessels.

»Für Nora ist es schwer zu ertragen, dass ich wieder geheiratet habe«, spricht Melcher weiter.

Hanno betrachtet seine Fingernägel.

»Aber da müssen wir jetzt alle zusammen durch.«

Hält Melcher ein Selbstgespräch?

Oder erwartet er, dass Hanno etwas sagt?

»Jedenfalls fanden wir es prima von dir, dass du Nora nachts noch abgeholt hast. Zu dir scheint sie ja einen besonderen Bezug zu haben.«

Besonderen Bezug? Hanno schaut auf.

Melcher hat sich vorgebeugt und wickelt den Gegenstand aus den Tüchern.

Besonderen Bezug? Da kann Hanno ja nur lachen.

Melcher sieht Hanno an.

»Du sagst gar nichts.«

Hanno verknotet wieder die Finger.

»Ich weiß nicht ...« Er stockt. »Nora ist so ...«

»Eigen?«, forscht Melcher.

»Ja, irgendwie ...«

Melcher nickt.

Behutsam stellt er eine kleine Figurengruppe vor Hanno auf den Tisch.

»Das ist eine so genannte Pietà aus dem Mittelalter, ein Sammlerstück aus Lindenholz.«

Hanno sieht eine sitzende Frau, die auf ihrem Schoß die ausgemergelte Gestalt eines Mannes hält. An dessen dünnen Rippen, seinen Händen und Füßen hängen Trauben von dunklen Blutstropfen.

»Das ist Maria, die ihren gekreuzigten Sohn auf dem Schoß hält. Von dieser Szene ist in der Bibel nichts beschrieben, aber die Menschen im Mittelalter brauchten dringend Trost. Hungersnöte, Überschwemmungen und vor allem die Pest hatten sie in große Not gebracht. So wurde häufig Maria in ihrer Trauer um Jesus dargestellt.«

»Und die dicken Stellen da an seinem Körper?«

»Das sollen Pestbeulen sein. Die Bildschnitzer haben Maria und Jesus direkt in ihre Zeit hineingezogen.«

Hanno fährt vorsichtig mit einem Finger über die harten Erhebungen.

»Und was sollen Sie mit den Figuren jetzt machen?«

»Ein Sammler hat mir das Vesperbild gebracht und mich gebeten, es zu reinigen und seinen Wert neu zu bestimmen.«

»Das Vesperbild?«

»Ja, man nimmt an, dass Jesus zur Vesperzeit, also am späten Nachmittag, vom Kreuz abgenommen wurde.«

In Hanno breitet sich ein Wohlgefühl aus, das ihm vertraut ist und das Erinnerungen an Melchers Werkstatt bringt.

»Sind die Figuren hinten hohl?«

»Nein, das ist massives Holz.«

»Waren sie früher bemalt?«

»Sicher. Hier siehst du noch Farbreste.«

Hanno beugt sich vor und entdeckt blaue und rote Farbspuren am weit fallenden Gewand der Maria.

In dem Moment wird lautstark die Tür geöffnet.

Nora kommt in den Raum. Sie geht zu Hanno und reicht ihm die Hand.

»Schön, dass du da bist, Hanno!«

Schwarze Hose, gelber Pullover, grüne, abstehende Haare, freundliches Gesicht.

»Was macht ihr?«

»Ich zeige Hanno das Vesperbild.«

Szenenwechsel.

So plötzlich.

Und dann diese strahlende Nora.

Irgendwie geht das für Hanno alles zu schnell.

»Kommst du nachher noch zu mir?«

Nora wieder im Türrahmen.

Hanno schluckt. »Kann ich machen.«

Die Tür fällt ins Schloss.

»Na ja«, sagt Melcher und legt die Skulptur in die weichen Tücher zurück, »viel Arbeit wird die Reinigung nicht sein. Der Zustand der Figuren ist sehr gut.«

Melcher wickelt das Schnitzwerk ein.

»Der Johannes steht übrigens inzwischen im ersten Stock. Vielleicht hast du mal Zeit, ihn dir im Museum anzusehen.«

Hanno nickt. Das wird er machen. Ja, schon bald wird er den Johannes an seinem neuen Standort aufsuchen und sich dann in Ruhe im Museum umsehen. Alleine oder mit Bertram oder Torsten.

Melcher steht auf und bringt die Figur zum Schreibtisch zurück.

»Ich muss noch arbeiten«, sagt er zu Hanno.

Hanno erhebt sich auch.

»Mach's gut und bis bald.«

Melcher schüttelt Hanno die Hand.

»Ja, Wiedersehen«, sagt Hanno und geht zur Tür.

144

Auf dem Flur ist niemand zu sehen.

Nicht einmal Zita.

Hanno nimmt seine Jacke von der Garderobe und geht zur Haustür.

Kommst du nachher noch zu mir?

Das sagt sich so leicht, so unverbindlich.

Kann ich machen.

Kann ich machen, aber will ich nicht machen, Nora Melcher.

Hanno ergreift die Klinke der Haustür.

Ruhig tickt die Standuhr.

Durch die Glasscheibe über der Tür fällt gelbliches Licht.

Hanno öffnet die Haustür und geht hinaus.

Draußen dreht er sich um und zieht mit beiden Händen die Tür fest zu.

Er läuft die Steinstufen hinab und nimmt sein Fahrrad.

»Hey!«, ertönt eine Stimme über ihm.

»Hey, Hanno! Musst du denn schon fahren?«

Hanno dreht sich nicht um.

Er weiß, wer ihn ruft: Nora.

Bestimmt hängt sie im ersten Stock aus einem der Fenster mit den weißen Gardinen.

»Hast du nicht noch ein bisschen Zeit, Hanno?«

Hanno steht mit dem Rücken zum Haus.

Abfahrtbereit. Den Lenker in beiden Händen.

Aber unentschlossen.

Er dreht sich um, stellt das Fahrrad ab und steigt die Steintreppe wieder hinauf.

Die Tür wird von innen aufgerissen.

Nora steht dicht vor Hanno.

»Du wolltest doch noch zu mir kommen. Hast du das vergessen? Komm rein!«

Nora dreht sich um, läuft durch den Flur und die Treppe hinauf.

Hanno folgt ihr, weiß nicht, was er denken, was er fühlen soll.

Noras Zimmer ist klein.

Ein Schreibtisch vor dem Fenster, rechts ein Bett mit einer bunten Decke, links ein Regal.

An den Wänden Bilder.

Helle Bilder, dunkle Bilder, große und kleine Bilder in bunten Rahmen.

Hanno lässt sich auf den Schreibtischstuhl fallen.

»Willst du deine Jacke ausziehen?«

»Nö.«

Nora setzt sich auf ihr Bett, zieht ein Armband mit grünen Perlen von ihrer Hand, schiebt es wieder auf den Arm.

»Du, Hanno …«

Nora rollt das Armband über ihren Handrücken.

Hanno lehnt sich auf dem Stuhl zurück.

Das Armband fällt zu Boden.

Nora bückt sich, hebt es auf und streift es wieder über ihre Hand.

»In der Schule verpasse ich wohl nicht so viel, oder?«

»Nö.«

»Lohmann hat ja auch gefehlt am Montag und am Dienstag.«

»Ja. Der war auf einer Tagung in Düsseldorf.«

»Das hat Schummi mir auch gesagt.«

Die grünen Perlen laufen um Noras Handgelenk.

»Ich war die ganze Woche krank und durfte nicht zur Schule. Kennst du Dr. Metz?«

»Nö.«

»Bei dem ist meine … meine ganze Familie. Das ist unser Hausarzt. Der hat gesagt, dass ich … also … irgendwie zu Kräften kommen soll oder so.« Nora lacht kurz.

»Und wie sollst du das machen?«

»Mit viel Schlaf und dicken Vitaminkapseln. Die krieg ich kaum runter. Da muss ich fast kotzen.«

»Hm.«

»Hast du so was auch schon mal genommen?«

»Nö.«

Schweigen.

Hanno rutscht auf dem Stuhl hin und her.

»Ich muss gehen«, sagt er.

Nora beugt sich vor und legt ihre Hand auf seinen Arm.

»Du, Hanno …«

Hanno sieht Noras Gesicht vor sich. Er sieht ihre schmale Nase, ihre großen blauen Augen, ihre vollen Lippen. Er riecht ihren feinen Duft.

»Ich … ich lass mir meine Haare wieder wachsen, Hanno.«

Nora zieht ihre Hand zurück und richtet sich auf.

»Die Farbe geht sowieso raus und außerdem muss ich dauernd zum Nachschneiden zum Frisör rennen, zu äh … zu dem Frisör, bei dem du auch bist, weißt du.«

Hanno zuckt mit den Schultern. Klar, das weiß er.

War's das, Nora Melcher?

Hanno steht auf.

Danke für das Supergespräch, Nora Melcher.

Nora blickt auf den Boden.

»Hier im Haus wird's jetzt auch besser.« Ihre Samtstimme, leise. »Ich … ich war wohl 'n bisschen durch den Wind. War alles … war alles ziemlich viel für … für mich. So mit Franziska und so …«

Nora sieht Hanno an.

»Du sagst ja gar nichts.«

Hanno presst die Lippen aufeinander.

Was soll er sagen? Soll er Nora sagen, dass er sie total gern hatte und sich Sorgen um sie gemacht und wie bescheuert hinter ihr herspioniert hat? Soll er sagen, dass er sich wochenlang für Nora zum Affen gemacht hat? Zum Hampelmann der Nation?

»Tut mir Leid, dass es für dich zu Hause schwierig war, Nora. Tut mir echt Leid, aber dann … dann hast du ja einen Trottel gefunden, der dich am Bahnhof abgeholt hat.«

Hanno hört sich selber sprechen, hört seinen schroffen Ton.

Nora sieht Hanno noch immer an.

»Trottel? Wieso Trottel?«

Ihre Stimme klingt verwundert.

»Weil du niemand anderen in der Nacht erreicht hast als mich.«

Hanno geht zur Tür.

Noras Stimme, immer noch verwundert: »Ich hab doch nur dich angerufen.«

Sie hustet, vergräbt ihr Gesicht in den Händen.

Mann, o Mann.

Hanno tippt mit einem Fuß auf den Boden, den Türgriff in der Hand.

Landschaften über Noras Bett.

Hügellandschaften mit weiten Feldern.

Vögel am bewölkten Himmel.

Daneben gemalte Äpfel.

Prall, orangerot.

Nora hebt ihr Gesicht aus den Händen.

»Hanno, ich weiß auch nicht ... Du warst immer ... Ich war oft richtig blöd zu dir ...«

Ihre Stimme wie eine Kinderstimme.

Wie die Stimme der Nora mit den schwarzen Zöpfen im gelben Kleid damals neben der Tafel. *Wir sind eine Woche mit meinem Vater in Rüsselsheim gewesen, aber ohne Mama. Die ist nämlich tot.*

»Ich muss gehen, Nora. Tut mir Leid.«

Nora rührt sich nicht vom Fleck, hockt auf der bunten Decke.

Nach einer Weile steht sie auf und wischt mit dem Ärmel über ihr Gesicht. Sie geht zu ihrem Schreibtisch, zieht ein flaches Päckchen aus einer Schublade und reicht es Hanno.

»Für dich«, sagt sie.

Da hat Hanno sich nicht verhört.

Da ist er nicht im falschen Film.

Für dich!

»Danke.«

Hanno steckt das Päckchen in seine Jackentasche zu den zerfetzten Papiertaschentüchern.

Nora begleitet Hanno zur Haustür.

»Am Montag komme ich wieder zur Schule«, sagt sie.

Es ist dunkel geworden.

Hanno läuft die Steinstufen hinab, nimmt sein Fahrrad und stellt den Dynamo an.

»Tschüss«, sagt er.

In den Häusern und Geschäften blinken Lichter.

Die Glühbirnen an den Tannenbäumen glitzern wie Sterne.

Hanno fährt durch die Stadt.

Mechanisch bewegt er seine Beine, spannt die Muskeln seiner Arme.

Kreuz und quer streift er durch die Straßen und umkreist sein Zuhause.

Er will sich nicht an den gedeckten Abendbrottisch setzen und all die Fragen auf sein Brot schmieren müssen, die er nicht hören will.

Wie war's bei Melchers?

Wie geht es Nora?

Als er am Café Stromberg vorbeikommt, hält Hanno an.

Er stellt sein Fahrrad in den Radständer, schließt es ab und betritt den warmen Raum.

Kerzenlicht und ruhige Musik.

Hanno knöpft seine Jacke auf und setzt sich an einen kleinen Tisch.

Sein Blick schweift umher.

Nein, die meisten Gäste kennt er nicht, nur an einem Ecktisch sitzen ein paar Mädchen aus seiner Parallelklasse.

»Was darf's sein?« Die Bedienung ist groß und schmal, trägt eine Lackschürze und hat vorstehende Zähne.

»Milchkaffee, bitte.«

Hanno legt die Arme auf die Seitenlehnen des Korbstuhls.

Hart fühlt er Noras Päckchen durch seine Jacke gegen seinen Oberschenkel stoßen.

Die Bedienung bahnt sich einen Weg zwischen den Tischen hindurch und stellt eine Tasse mit dampfendem Milchkaffee vor Hanno auf den Tisch.

Hanno hebt die Tasse zum Mund, pustet in den weißen Schaum mit den kleinen Schokoladeflocken, fühlt die heiße Flüssigkeit an seinen Lippen und stellt die Tasse auf den Unterteller zurück.

Er greift in seine Tasche und zieht Noras Päckchen heraus.

Langsam öffnet er den Tesafilm und streift das bunte Papier ab.

Ein kleines, quadratisches Gemälde in einem braunen Holzrahmen kommt zum Vorschein.

Überrascht dreht Hanno es hin und her.

Dann legt er das Bild im Schein der Kerze vor sich auf den Tisch und beugt sich darüber, um es genauer betrachten zu können.

Zuerst erkennt er nichts als bunte Schlangenlinien, unterbrochen von dunkleren Flecken. Doch plötzlich sieht er eine Brücke, die über Eisenbahngleise führt, darunter grüne und rote Lichter.

Dann schwarze Bäume, die ihre Äste wie Finger von sich strecken, und weite Felder wie Flickenteppiche.

Hanno zieht die Kerze näher zu sich heran.

Wieder Schlangenlinien, ungeordnet und lebhaft.

Dann schroffe Felsen, ein breit liegender Bunker.

Aufgereihte Flaschen, von denen einige umgefallen sind.

Wieder Linien, die miteinander spielen, sich umeinander drehen.

Hanno richtet sich auf, als habe er geträumt.

Ich hab doch nur dich angerufen.

Verschwommen nimmt er Stimmen und Lichter um sich herum wahr.

Ich hab doch nur dich angerufen.

Er dreht das Gemälde um.

Für Hanno von Nora liest er auf der Rückseite.

Für Hanno von Nora?

Rasch wendet Hanno das Bild wieder nach vorne.

Seine Augen laufen den Linien nach bis in die rechte untere Bildecke.

12. Dezember 2002.

Nora hat dieses Bild vor drei Tagen gemalt.

Hanno stellt den Rahmen gegen den Ständer der Speisekarte und lehnt sich in dem Korbstuhl zurück.

Da kommen sie wieder, die Ameisen.

Vorsichtig klettern sie am Tischbein herauf, laufen über die Tischfläche, über den Unterteller des Milchkaffees und stoppen an der Tischkante direkt vor Hanno. Sie zögern, trippeln auf der Stelle. Sie sind verwundert, maßlos verwundert.

Hanno schaut auf das Bild.

Ja, darauf ist viel zu erkennen.

Noras Geschichte.

Noras Geschichte, nur für Hanno.

Hanno verschränkt die Hände hinter seinem Kopf.

Er lächelt.

Da stürmen die Ameisen los über Hannos Körper bis zu den Spitzen seiner Haare, frei und sicher.

Let's talk about Sex!

Nina Schindler
Nur mit Lust & Liebe!
176 Seiten
cbt 30024

Wird man schwanger, wenn man seinem Freund einen bläst? Wie kann ein Kondom platzen und woran erkennt man einen Orgasmus? Seltsam, dass alle Welt behauptet, sich super auszukennen, und auf unverblümt gestellte Fragen doch nur lauwarme Antworten parat hat. Wie das wirklich ist mit der Lust, der Liebe und dem eigenen Körper, bringen die Sex-Tipps für Girls auf den Punkt: Mit offenen Antworten auf das, was wirklich interessiert, und jeder Menge Tipps und nützlicher Adressen.

Der Taschenbuchverlag für Jugendliche
www.bertelsmann-jugendbuch.de

Lutz van Dijk
Anders als du denkst

160 Seiten   cbt 30074

Anders als du denkst, ist es oft, wenn es um Liebe und Sex geht.
Die zwölf Geschichten in diesem Buch nehmen kein Blatt
vor den Mund. Sie erzählen offen von Selbstbefriedigung,
Schwulsein, verbotenen Träumen, Liebe zwischen Schwarz und
Weiß, vom Umgang mit AIDS und davon, zu genießen,
ohne Verantwortung über Bord zu werfen.

www.bertelsmann-jugendbuch.de

Beste Freundinnen ... Sommer, Sonne und eine Jeans auf Reisen

Ann Brashares
Eine für vier
320 Seiten
C. Bertelsmann
ISBN 3-570-12679-X

Wie ist das wohl, wenn man das erste Mal über lange Zeit von seinen allerbesten Freundinnen getrennt ist? Carmen, Lena, Bridget und Tibby bringt das auf eine grandiose Idee. Auch wenn sie sich den ganzen Sommer nicht sehen, wollen sie doch in Kontakt bleiben: Eine Secondhand-Jeans wird auf die Reise geschickt – von einer zur anderen, um die halbe Welt, wo die vier viel Aufregenderes erwartet als faules Räkeln in der Sonne und heimliches Bespitzeln der Jungs durch verspiegelte Sonnenbrillen.

www.bertelsmann-jugendbuch.de

6016